お弁当がすぐできる、便利なおかず

お弁当の時間は、仕事や勉強の
合間のお楽しみ。
栄養バランスがよくて
あけると思わず笑顔になる
お弁当を作りたい。

だれもがそう思うものの
忙しい朝の弁当づくりは、やはりたいへん。
そこで、ベターホームの先生たちが
日々実践している弁当づくりのアイディアや
役立つレシピをまとめました。

忙しい時間をやりくりしながら
弁当づくりを続けるポイントは、2つ。
まずは、当日の朝にパパッと作る
"スピード弁当"。

もうひとつは
"朝詰めるだけ弁当"。
時間のあるときに、冷凍できたり、日もちがする
おかずを作っておけば、朝は5分で完成です。

ふだんのごはんにもなるし、
手早く作れるコツが満載です。
無理なく続けられて、体にも、おさいふにも
やさしいお弁当生活、始めてみませんか?

ベターホーム協会

目　次

| 06 | 手早く・おいしくお弁当を作る！ |

朝、すぐに作れる スピード弁当おかず

10〜15分で作れる ごはん、パン、めんが主役の スピード1品弁当

10	豚肉のソース焼き弁当
11	照り焼きチキン弁当
12	ドライカレー弁当
13	オムライス弁当
14	さんま缶の卵とじ弁当
15	サラダずし弁当
16	フレンチトーストサンド
17	卵とコンビーフのホットサンド
18	ベーグルサンド2種　カレーツナ＆チーズ
19	ポテサラとソーセージのポケットサンド
20	ナポリタン弁当
21	塩焼きそば弁当
22	お弁当づくりのコツ
	―短時間で作るコツ7
	―いたみを防ぐコツ7
	―おいしいお弁当のコツ7

スピード大きいおかず

28	肉巻き3種
	ゆで野菜／ねぎ／しそチーズ
29	ピカタ3種
	むきえび／スパム／とりささみ
30	ハーブパン粉焼き3種
	とり肉／豚ヒレ肉／かじき
31	磯辺焼き3種
	さけ／かんたんつくね／はんぺんチーズ

お助け加工食品をアレンジ

32	ツナのピーマンカップ焼き／
	ツナのおやき
33	ソーセージロール2種／
	ちくわの磯辺揚げ

スピード小さいおかず

34	青菜の塩こんぶあえ／
	ブロッコリーのハーブマヨ焼き／
	いためアスパラのチーズがけ
35	いんげんのベーコン巻き／
	ピーマンのごまあえ／
	ミニロールキャベツ
36	にんじんのレンジグラッセ／
	にんじんの塩いため／
	にんじんのごまぽん酢あえ

お弁当のお得ポイント ▶

1. 体にやさしい

手づくり弁当は、カロリーひかえめで栄養バランスよし。ヘルシーでダイエットにも向きます。

37	かぼちゃのシンプルソテー／ かぼちゃサラダ／さつまいものレンジ茶きん
38	なすのスープ煮／焼きしいたけ／ しめじのぽん酢煮
39	みそ焼きれんこん／かぶのゆかりあえ／ 焼き長いも

卵のおかず

40	卵焼き（プレーン）／甘めの卵焼き／ じゃことねぎの卵焼き
41	ソーセージ巻き卵／ピザ風卵焼き／ 半月卵焼き／卵の和風ココット

おかず＆カラフルおにぎり

42	肉巻きおにぎり／から揚げおにぎり／ スパムおにぎり
43	ゆかりとチーズのおにぎり／ みそ味の焼きおにぎり／ かぶの葉とおかかのおにぎり／ 桜えびとみつばのおにぎり
44	夕ごはんや朝ごはん作りと "まとめて"弁当づくり

夕ごはんのおかずを
かんたんアレンジ！

46	さけのマヨネーズ焼き
48	のり焼きしゅうまい／刺し身のごま照り焼き
49	カレーサンド／ひじきの卵巻きずし

作っておくと便利な
朝詰めるだけ弁当おかず

大きいおかず

52	とりの照り煮
54	えびのマスタードマリネ／パセリごはん
56	肉のみそ漬け
57	フライパン焼き豚
58	とり肉と根菜の煮もの
59	かじきのピリ辛漬け

小さいおかず

60	きんぴら ごぼう／ピーマン／さつまいも
61	マリネ キャベツ／にんじん／きのこ
62	ナムル ほうれんそう／もやし／ズッキーニ
63	そのほか 切り干しだいこんのサラダ／ ひじきサラダ／れんこんの煮なます
64	いろいろ野菜 ピクルス／カポナータ みそ漬け／中華風ピリ辛漬け
66	煮卵 しょうゆ味／カレー味／ソース味
67	作りおきおかずを お弁当で持っていくときは

2. おさいふにやさしい

外食やお弁当を買うよりも、だんぜん安あがり。毎日の積み重ねが家計を支えます。

03

	ベースのおかずをまとめて作って かんたんアレンジ！
68	やわらかミートボール
	ピザ焼き／カレーいため
70	ふんわり豚こまから揚げ
	酢豚風いため／南蛮漬け
	作っておくと、便利な万能だれ
72	みそだれ／バーベキューだれ
	万能だれを使ったアレンジ料理
	あるとうれしい、甘めのおかず
74	さつまいもとりんごの甘煮／ にんじんのミルク煮／かぼちゃのいとこ煮
75	きんとき豆の甘煮／豆とさつまいもの甘煮
	これさえあれば、なんとかなる！ ごはんの友
76	のり弁当
	自家製なめたけ／牛そぼろ
77	カラフルそぼろ弁当
	いり卵／しいたけの甘煮／えびそぼろ
	3色おにぎり弁当
	とりそぼろ入り卵焼き
78	たらこそぼろ／じゃこ高菜そぼろ／ とりそぼろ／油揚げそぼろ
79	青菜のしょうゆそぼろ／青菜の甘辛みそ／ 青菜の塩そぼろ／ピリ辛ひじきそぼろ
	具だくさん 混ぜごはん
80	牛ごぼうの混ぜごはん
81	さけの洋風混ぜごはん

たまには、ひと手間かけて
にぎやかイベント弁当

84	春のお花見弁当
	春キャベツと桜の混ぜずし／ たけのこのから揚げ／ とりむね肉の塩から揚げ／ みつばの卵焼き／菜の花のごまあえ
86	秋のピクニック弁当
	さつまいもの雑穀おこわ／ ぎんなんの塩いため／ かぶのさっぱり漬け／ しいたけ＆れんこんつくね／ さけの漬け焼き　ゆず風味
88	遠足に子どもわくわく弁当
	たこさんウィンナー／ ミニから揚げ・カレー味／ サラダスティック／ラップおにぎり2種
90	かんたん飾り切りでわくわくおかず
92	あると便利な お弁当グッズ・ミニ調理器具
93	あるとうれしい お弁当食材

3. 食べものをムダにしない

ふだんのごはん作りで少し残る材料をうまく活用。
夕ごはんのおかずをうまく使いまわしてお弁当にしてもよし。

先生のかんたんレシピ

46	自家製インスタントみそ汁
52	フルーツグラタン

お弁当の小ワザ

16	お弁当用サラダ
17	サンドイッチを冷凍
23	冷凍おかずを保冷剤代わりに
42	のりは切っておく
45	野菜いため活用法
47	型ぬき野菜をムダなく
66	煮卵の活用法
67	ごはんの冷凍保存
75	製氷皿で小分けして冷凍
89	プチゼリーを保冷剤代わりに
90	飾り切りした食材にはプリッツを ソーセージはまとめていためて冷凍
93	お弁当をうまく詰めるには？

02	お弁当のお得ポイント
94	さくいん

この本のきまり

○**計量の単位**
カップ1＝200ml 大さじ1＝15ml 小さじ1＝5ml
米用カップ1＝180ml（mlはccと同じ）

○**電子レンジ**
加熱時間は500Wのめやす時間です。600Wなら、加熱時間は0.8倍にしてください。

○**だし**
かつおだしをさします。だしの素を使うときは、表示どおりに使います。

○**スープの素**
ビーフ、チキンなど、お好みで。

○**マークについて**

日もち…保存容器や保存袋に入れて、冷蔵庫で保存したときの、保存期間のめやすです。

冷凍…冷凍用の保存袋、冷凍に使える密閉容器などに入れて冷凍できます。1か月をめやすに食べきります。

子ども…子どもにも食べやすい味のおかずです。

前日の下ごしらえ…当日でも作れますが、前日に下ごしらえしておける作業です。冷蔵庫で保存します。

の作業にかかる時間

○分量の1単位は、女性のお弁当1回分の量です。

4. 料理上手になる

忙しい朝に、手早く料理できるように、ひとくふう。料理上手への近道です。

おかずの作りおき、前の晩に下ごしらえ

● **日もちのするおかずを作りおき**しています（横浜教室　森さゆり）
▷肉や魚のマリネ、野菜の甘酢漬け、ナムルなど
● **副菜を多めに作り、カップに小分けして冷凍**しておきます（梅田教室　長田香代子）
▷ひじきの煮もの、切り干しだいこんの煮もの、かぼちゃの煮もの、きんぴらごぼう、煮豆など
● **夕ごはんのおかずで冷凍できるものは、多めに作って冷凍**しておきます（難波教室　中野布季子）
▷ハンバーグ、から揚げ、とんカツ、しゅうまいなど
● 材料を洗っておく、切っておく、調味料をはかっておくなど、**前の晩にできることはしておきます**（町田教室　島田優子）

手早く・おいしくお弁当を作る！

夕ごはんのおかずをかんたんアレンジ

● **とんカツ**は卵でとじて**カツ丼**に、**天ぷら**は**天丼**にします。味つけは、めんつゆを使うと手軽です（梅田教室　菊元明美）
● 炊きこみごはんをフライパンでいためて、チャーハンにします（名古屋教室　林啓子）
● **シチューやカレー、肉じゃが**をアルミカップに入れ、チーズをのせてオーブントースターで焼きます（渋谷教室　越川藤乃）
● さといも、れんこん、こんにゃくなどの**煮ものにみそをかけて、田楽風**にします（名古屋教室　野村明未）
● 筑前煮などの**煮ものを天ぷら**にします（大宮教室　小西幸枝）

夕ごはんを作りながら、下ごしらえ

- **ハンバーグ**を作るときは、同じ肉あんで**ピーマンの肉詰め**も作ります（池袋教室　近藤美恵子）
- 夕ごはんで少し残った薄切り肉で適当な野菜を巻いて、**野菜の肉巻き**を作っておきます（池袋教室　野上恭子）
- **ポテトサラダ**を作るときは、きゅうりを入れる前に**じゃがいも**をアルミカップにとりおき、チーズをのせてオーブントースターで焼きます（渋谷教室　篠原由香）
- **カレーやスープを作るときにゆでた野菜**（じゃがいも、にんじん、かぼちゃなど）をとりおき、マヨネーズであえてサラダにします（吉祥寺教室　大須賀眞由美）

お弁当の小ワザ
ベターホームの先生がやっている

忙しい朝の弁当づくりには、
手早く作るコツが必要。
そこで、ベターホームの先生たちに、
おすすめの時間短縮テクニックを聞いてみました！

- 前日に「お弁当メモ」を書いておきます。朝、起きてすぐにお弁当づくりにとりかかれます（難波教室　岩井香笑）

たまには、うまく手抜きをする

- めんつゆや焼き肉のたれ、ドレッシングなど、**市販の合わせ調味料**を活用します（浜村ゆみ子）
- 市販のびん詰めなめたけで、青菜（ほうれんそう、こまつななど）をあえます（横浜教室　井上比呂美）
- サンドイッチの具とパンを別々に持っていき、**食べるときにはさんで**食べてもらいます（三笠かく子）
- ちくわ、かまぼこ、つくだ煮、漬けものなど、詰めるだけの市販食材を活用します（名古屋教室　長野奈穂子）

10〜15分で作れる
ごはん、パン、めんが主役の
スピード1品弁当

ごはん＋おかずが2〜3種類あるお弁当が理想的ですが、
慣れないうちは、やはりたいへん。
時間がない、材料がない、メニューが決まらない…
そんなときは、主食とおかずが一緒になった、
1品弁当がおすすめです。
あっという間に作れて、お弁当箱に詰めるのもかんたん。
今日からお弁当づくりを始めよう！という人にぴったりです。

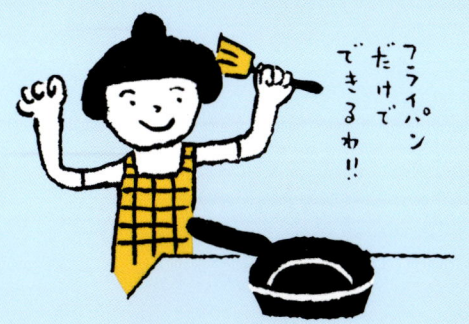

材料も
道具も少し

フライパンだけでできるわ!!

作るのは1品だけ

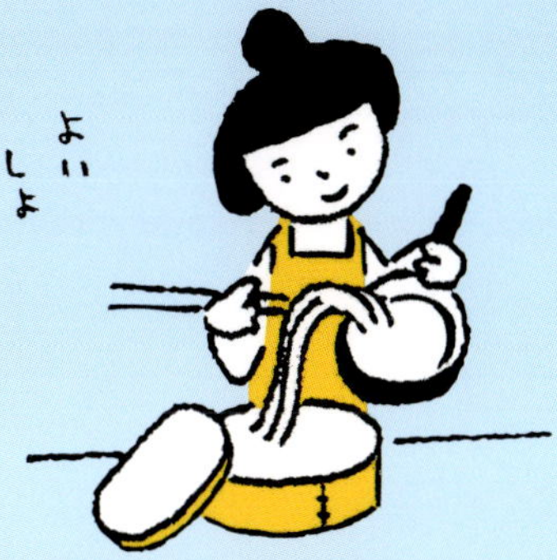

よいしょ

お弁当箱に
詰めるのもかんたん

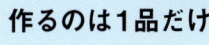

だから

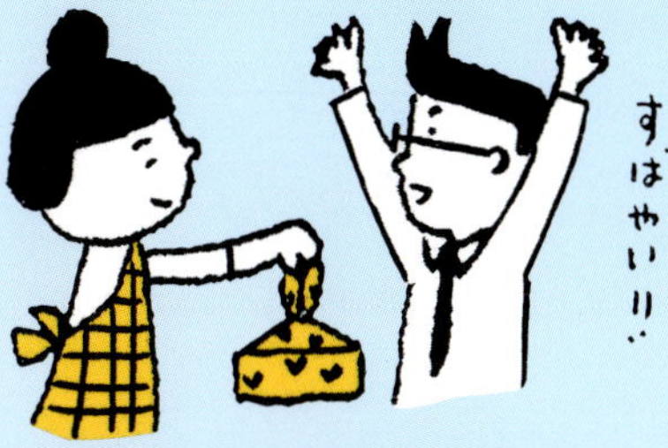

すばやい!!

朝、あっという間に完成!

これさえあれば、
なんとかお弁当が作れる食材　ベスト4

1. 冷凍ごはん
お弁当箱に合わせて1食分ずつ

2. パン
ある食材をはさんで、サンドイッチに

3. 加工食品
ウィンナーソーセージ、ハムなど

4. 缶詰
ツナ缶や、スパム缶など

ツナ
BEEF

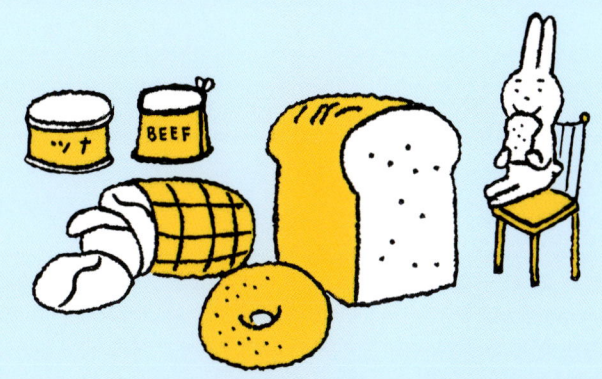

ごはん

フライパンで焼いて、のせるだけ❶

豚肉のソース焼き弁当

さまざまなスパイスなどが配合された
ソースを使うと、味つけがかんたんです（浜村）

子ども

フライパン

豚肉

ソース

ミニトマト

ごはんにたれがほどよくしみて、さめてもおいしい。味つけは、p.72の万能だれや市販の焼き肉のたれを使っても

------ コツ ------

材料（1単位分）
豚肉（しょうが焼き用） — 80g
A [しょうが（すりおろす）
    — 小1かけ（5g）
    酒 — 小さじ1　塩 — 少々]
キャベツ — 中1枚（50g）
ピーマン — 1個
たまねぎ — 30g
サラダ油 — 小さじ2
B [ウスターソース — 大さじ1
    酒 — 大さじ1]
ごはん — 150g

作り方　●587kcal
1 豚肉にAをまぶします。
2 キャベツは1cm幅、ピーマンは種をとって1cm幅に切ります。たまねぎは薄切りにします。
3 フライパンに油小さじ1を温めて**2**を入れ、水大さじ1と塩・こしょう各少々（材料外）をふって軽くいためます。皿にとり出します。

4 フライパンに油小さじ1をたして温め、肉の両面を焼きます。火が通ったら、Bのたれを加えてからめます。**3**をもどし入れ、ひと混ぜして火を止めます。たれごとごはんにのせます。

5 min
10 min
調理時間

10

ごはん

フライパンで焼いて、
のせるだけ ❷

照り焼きチキン弁当

照り焼きチキンは、家族みんなの大好物。
まとめて作って冷凍しています（銀座教室 大橋浩美）

冷凍（肉のみ） 子ども

フライパン

とり肉

しいたけ＆ししとう

○ しば漬け

○ 煮卵・しょうゆ味 (p.66)

コツ
ごはんにのりをのせると、汁気をほどよく吸って、ごはんがベタッとしません。のりはちぎったほうが食べやすい

材料（1単位分）
- とりもも肉 — 100g
- しいたけ — 1個
- ししとうがらし — 2本
- サラダ油 — 小さじ1
- A ┌ 砂糖 — 大さじ½
　　│ しょうゆ — 大さじ1½
　　└ 酒 — 大さじ2½
- 焼きのり — ¼枚
- ごはん — 150g

作り方　●538kcal

1 しいたけは半分に切ります。ししとうは軸の先を切り落とします。とり肉は身の厚いところに切りこみを入れます。Aのたれは合わせます。

2 フライパンに油を温め、しいたけ、ししとうと、とり肉を皮を下にして入れます。野菜の上下を返しながら、中火で約2分焼きます。肉を裏返し、野菜はとり出します。

3 Aのたれを加え、ふたをして弱火で約2分煮ます。ふたをとって火を強め、肉にたれをからめながら、汁気が少し残るくらいまで煮つめます。野菜をもどして、たれをからめます。肉は食べやすく切ります。

4 ごはんにのりをちぎってのせます。**3**をのせ、たれをかけます。

調理時間 15分（うち5分）

11

ごはん

いためるだけ、
ごはんが主役 ❶
ドライカレー弁当

しあげに加える酒で、さめてもふっくら。
レーズンはお好みでどうぞ（三笠）

 冷凍 子ども

フライパン

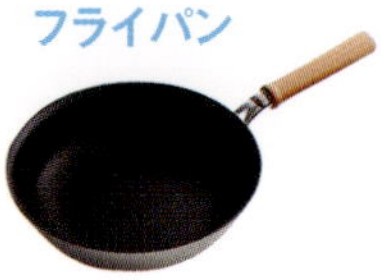

ピーマン & たまねぎ

カレー粉

○ サラダ菜

○ スライスチーズ
（型でぬく）

サラダ菜などを敷くと、弁当箱にカレー粉の色やにおいが移りません。野菜もとれて、うれしい ----- コツ

材料（1単位分）
ウィンナーソーセージ — 1本
ピーマン — 1個
たまねぎ — 20g
レーズン — 10g
A ┌ スープの素 — 小さじ 1/4
　│ カレー粉 — 小さじ 1/2
　└ 塩 — 小さじ 1/8
酒（ワインでも）— 小さじ1
サラダ油 — 大さじ 1/2
ごはん — 150g

作り方　●411kcal
1 レーズンはぬるま湯でさっと洗います。
2 ピーマン、たまねぎは5mm角、ソーセージは5mm幅に切ります。
3 フライパンに油を中火で温め、2をいためます。たまねぎがしんなりしたら、ごはんを加え、パラパラになるまでいためます。
4 Aを加え、全体がよく混ざったらレーズンを加えます。しあげに酒を加え、強火でさっといためます。

調理時間 10min

ごはん

いためるだけ、
ごはんが主役❷

オムライス弁当

ケチャップライスと卵に牛乳を加えるのがポイント。
風味がよく、さめてもふっくら（浜村）

冷凍 子ども

フライパン
卵
トマトケチャップ

○ ゆでブロッコリー

- - - コツ - - -
弁当箱のふたにケチャップがつくのが嫌なら、ごはんと卵の間にケチャップを入れます
（池袋教室　水津由美）

材料（1単位分）
- ベーコン — 1枚
- たまねぎ — 30g
- ミックスベジタブル — 30g
- A［トマトケチャップ — 大さじ1½
  　塩・こしょう — 各少々］
- 牛乳 — 大さじ2
- 卵 — 1個
- B［マヨネーズ — 小さじ1
  　塩・こしょう — 各少々］
- サラダ油 — 小さじ2
- ごはん — 150g

作り方　●604kcal

1 たまねぎはあらみじん、ベーコンは1cm幅に切ります。
2 卵はときほぐし、Bと牛乳大さじ1を混ぜます。
3 フライパンに油小さじ1を温め、オムレツ*を焼いて、とり出します。

＊お弁当のときは、中までしっかりと火を通します（p.23）

4 フライパンに油小さじ1をたし、1とミックスベジタブルをいため、Aと牛乳大さじ1を混ぜます。ごはんを加えて混ぜ、約1分いためます。さめたら弁当箱に詰めます。
5 オムレツをのせ、ケチャップ（材料外）をかけるか持っていきます。

5min / 15min 調理時間

ごはん

家にある材料で
あっという間に作れる！❶

さんま缶の卵とじ弁当

缶汁を使うので調味いらず。
お弁当なので、卵は中までしっかりと火を通します

さんま缶　ねぎ　卵

子ども

梅きゅうり
きゅうりに切りこみを入れ、
練り梅をはさみます

※きゅうりは大きめに切ってさっとゆでると、水気が出にくくなります

つけ合わせのおかずは、彩りはもちろん、味や食感も考えて決めます
------- コツ ---

材料（1単位分）
さんまのかば焼き缶詰
　― 1缶（100g）
ねぎ ― 1/2本
酒 ― 大さじ1
卵 ― 1個
ごはん ― 150g

作り方 ●570kcal
1 ねぎは斜め薄切りにします。
2 フライパンに缶詰の汁と酒を入れて火にかけます。煮立ったらねぎを加え、さんまをのせます。ふたをして、ねぎがしんなりするまで弱火で2〜3分煮ます。

3 卵をときほぐします。**2** にまわし入れ、ふたをして約1分煮ます。汁ごとごはんにのせます。

調理時間 10min / 1min

14

ごはん

家にある材料で
あっという間に作れる！❷
サラダずし弁当

フレンチドレッシングをすし酢代わりに。
レタスで巻いて食べても（浜村）

子ども

サラダに使う野菜　フレンチドレッシング

ハム

コツ
おそうざいを買ったときについてくるプラスチック容器を弁当箱に。捨てて帰ることもできるので手軽です

材料（1単位分）
ハム — 2枚
うずら卵（水煮） — 3個
パプリカ（赤） — 30g
セロリ — 20g
黒オリーブ（スライス） — 10枚
プリーツレタス — 1〜2枚
A ［ フレンチドレッシング — 大さじ1
　　塩・こしょう — 各少々 ］
温かいごはん — 150g

作り方　●452kcal

1 パプリカは2cm長さの細切りり、セロリは薄切りにします。ハムは重ねたまま1cm角に切ります。

2 ボールにパプリカ、セロリ、A、ごはんを入れて混ぜます。さめたら、オリーブとハムを加え、さっくりと混ぜます。

3 レタスは食べやすくちぎり、卵は半分に切ります。レタスを敷いて**2**を盛り、卵をのせます。

調理時間 10min / 3min

15

食パン

かんたん手軽なパン弁当❶
フレンチトースト サンド

家にある材料ですぐに作れる、甘くないフレンチトーストです

子ども

○ サラダ&ドレッシング

卵
ハム
チーズ
牛乳

パンに卵液をつけて焼くので、さめてもしっとりやわらかい
コツ

材料（1単位分）
食パン（8枚切り）— 2枚
A ┌ 卵 — 1個
　│ 牛乳 — 大さじ1
　└ 塩・こしょう — 各少々
ハム — 1枚
スライスチーズ — 1枚
バター — 10g

調理時間 10min / 3min

作り方 ●483kcal
1 パンにハムとチーズをはさみます。
2 平らな器にAを合わせます。
3 1の両面を2につけます。フライパンに弱めの中火でバターを温め、パンを入れます。焼き色がついたら裏返して弱火にし、チーズが溶けるまで、ふたをして焼きます。食べやすく切ります。

お弁当の **小ワザ**

夕ごはんのサラダを弁当用にとりおいて、ドレッシングを持参します（梅田教室　宮口かおり）

食パン

かんたん手軽なパン弁当❷
卵とコンビーフのホットサンド

コンビーフの塩気とうま味で、味つけかんたん

子ども

コンビーフ 
マヨネーズ
卵

バターの代わりにマヨネーズを使うとぬりやすく、忙しい朝はかんたん
----- コツ -----

ピクルス (p.64)

お弁当の小ワザ

生野菜の入っていないハムチーズやポテトサラダ、ジャムなどをはさんだ冷凍できるサンドイッチを多めに作って冷凍しておきます。凍ったまま持っていくと、お昼にちょうど食べごろになります（福岡教室 佐藤久美子）

材料（1単位分）
食パン（8枚切り） — 2枚
卵 — 1個
コンビーフ — 小1/2缶（50g）
セロリ — 30g
塩・こしょう — 各少々
マヨネーズ — 適量

作り方 ●475kcal

1 セロリはあらみじん切りにします。コンビーフはほぐします。
2 卵をときほぐし、1と塩、こしょうを混ぜます。
3 フライパンを温めて2を入れ（油なし）、パンの大きさに合わせて四角く形づくり、両面を焼きます。
4 パンをトーストし、内側になる面にマヨネーズをぬります。3をはさみ、軽く押さえてなじませます。食べやすく切ります。

3 min
10 min
調理時間

17

ベーグル

かんたん手軽なパン弁当❸
ベーグルサンド2種 カレーツナ&チーズ

ベーグルは腹もちがよいので、ランチにおすすめ。
ハーフ&ハーフで2種の味を楽しみましょう

子ども

ツナ缶詰　カレー粉　クリームチーズ

○ キャベツのマリネ (p.61)

- - コツ - - - - - - - - - - -
乾燥しないように、ペーパーや
ラップに包んで持っていきます
- - - - - - - - - - - - - -

カレーツナサンド

材料（1個分）
ベーグル（横半分に切る）
　— 1個
ツナ缶詰 — 小1/2缶（40g）
きゅうり — 1/4本
たまねぎ — 10g
カレー粉 — 小さじ1/3

作り方　●259kcal
🌙 きゅうりは5mm角に切り、た
まねぎはみじん切りにします。
それぞれに塩少々（材料外）を
ふって軽くもみ、水気をしぼり
ます。
2 ツナにカレー粉、1 を混ぜ、
塩・こしょう各少々（材料外）
で味をととのえます。ベーグル
にはさみます。

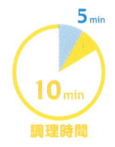

ナッツ入りチーズサンド

材料（1個分）
ベーグル（横半分に切る） — 1個
クリームチーズ（室温にもどす） — 50g
好みのナッツ（くるみ、
　マカダミアナッツなど） — 15g
はちみつ — 大さじ1

作り方　●499kcal
🌙 ナッツはフライパンで軽くい
って5mm角にきざみます。ク
リームチーズ、はちみつと一緒に
混ぜます。
2 ベーグルにはさみます。

厚切りのパン

かんたん手軽なパン弁当 ❹

ポテサラとソーセージのポケットサンド

厚めのパンにポケット状の
切りこみを入れて具をはさみます

子ども

じゃがいも
ソーセージ
サラダ菜
にんじん

コツ
切りこみに具をはさむので、持ち歩いてもくずれにくく、子どもも食べやすい

カットフルーツ

材料（1単位分）
厚切りのパン — 2枚
ウィンナーソーセージ — 2本
サラダ菜 — 2枚
じゃがいも — 小1個（100g）
にんじん — 30g
塩 — 小さじ1/8
こしょう — 少々
マヨネーズ — 大さじ1 1/2

作り方 ●427kcal

1 じゃがいもは半分に切り、切り口を下にして皿にのせ、電子レンジで約3分加熱します。皮をむきます。にんじんは半分に切ってラップに包み、約1分加熱します。熱いうちに一緒につぶし、塩、こしょうをふって混ぜます。あら熱がとれたら、マヨネーズを混ぜます。

2 ソーセージは縦半分に切って切りこみを入れ、フライパンで軽くいためます。

3 パンに切りこみを入れます。サラダ菜、**1**、**2** を半量ずつはさみます。同様にもう1個作ります。

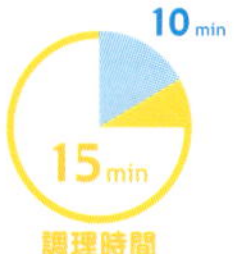

調理時間 15min / 10min

19

スパゲティ

ごはんもパンもない!
そんなときに ❶

ナポリタン弁当

さめてからケチャップを混ぜるのがコツ。
ベタッとしません

子ども

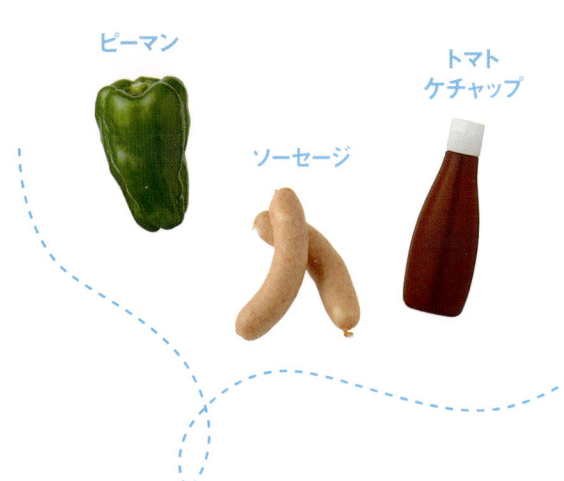
ピーマン
ソーセージ
トマトケチャップ

○ ゆでたスナップえんどう

---- コツ ----
弁当用のスパゲティは、食べやすいように半分に折ってからゆでます

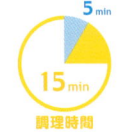
5 min
15 min
調理時間

材料（1単位分）
スパゲティ — 50g
たまねぎ — 1/4個
ピーマン — 1個
しめじ — 1/4パック
ウィンナーソーセージ — 3本
オリーブ油 — 大さじ1/2
塩・こしょう — 各少々
トマトケチャップ — 大さじ2
(好みで) 粉チーズ — 適量

作り方　●473kcal

🌙**1** たまねぎは薄切り、ピーマンは細切り、しめじは小房に分けます。ソーセージは5〜6mm幅の斜め切りにします。

2 鍋に1ℓの湯をわかし、塩大さじ1/2（材料外）を入れます。スパゲティは半分に折り、表示どおりにゆでます。

3 フライパンにオリーブ油を温め、たまねぎを約1分いためます。しんなりしたら、**1**の残りの材料を入れ、いためます。塩、こしょうをふり、スパゲティを加えて混ぜます。

4 さめたら、ケチャップを加えて混ぜます。好みで粉チーズをふります。

焼きそば用めん

ごはんもパンもない！
そんなときに ❷
塩焼きそば弁当

さめてもベタッとしない、
さっぱり味です

子ども

- - - コツ - - -
具とめんに手早く、そしてまん
べんなく味つけできるように、
塩だれを作ります

もやし
豚肉
キャベツ

紅しょうが

材料（1単位分）
焼きそば用めん — 1玉
豚こま切れ肉 — 50g
キャベツ — 50g
もやし — 50g
にんじん — 20g
A ┌ 塩 — 小さじ1/3
　├ こしょう — 少々
　└ 酒 — 大さじ1
サラダ油 — 大さじ1/2
（好みで）ラー油・青のり
　— 各少々

作り方 ●571kcal
1 キャベツ、にんじんは細切り
にします。豚肉は大きければ食
べやすく切ります。
2 Aを合わせ、そのうちの半量
を豚肉にまぶします。
3 フライパンに油を温め、豚肉
とにんじんを約1分いためま
す。キャベツ、もやしを加え、
しんなりするまでいためま
す。

4 フライパンにめん、Aの残り
と水大さじ2（材料外）を入
れ、ほぐしながらいためます。
好みでラー油、青のりをふりま
す。

お弁当づくりのコツ

お弁当づくりは、いつものごはんを弁当箱に詰めるだけ…と思っていませんか？
持ち歩いて、時間がたってさめた状態で食べるお弁当には、
いつものごはんとは違う、ひとくふうが必要です。
また、1分でも惜しい朝だからこそ、手間なしの"時短"テクニックが欠かせません。

短時間で作るコツ 7 (7 points)

point 1 前の晩に下ごしらえをしておく

前日にあらかじめメニューを決めておき、材料をそろえるなど、できることはやっておきます。このひと手間で、朝の時間にぐっと余裕が生まれます（p.44）。

材料をひとまとめに。野菜は切ったりゆでたりしておいても

point 2 夕飯のおかずを活用する

たとえば、刺し身を調味液に漬けて焼く（p.48）など、前の晩のおかずに少しだけアレンジを加えれば、まったく別のおかずに変身します。

から揚げを南蛮漬けに（p.71）

point 3 まとめて調理する

同じ湯で野菜を次々にゆでるなど、まとめて加熱できるものはまとめて。洗いものがらくになり、光熱費の節約にもなります（p.45）。

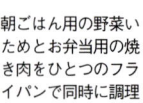

朝ごはん用の野菜いためとお弁当用の焼き肉をひとつのフライパンで同時に調理

point 4 いろいろな加熱器具を使う

朝ごはん作りでガスコンロはいっぱい。そんなときは電子レンジやオーブントースター、魚焼きグリルなどを使いましょう。時間をセットすれば、あとはおまかせなのもうれしい。

オーブントースターで肉と野菜を一緒に焼きます

point 5 おかずを冷凍保存しておく

たとえば、ハンバーグをお弁当用に小さく作って冷凍。ミートボールやから揚げなども冷凍できます（p.68〜）。

point 6 日もちするおかずを常備しておく

日もちするおかずは多めに作って常備しておくと、安心です（p.52〜）。

point 7 市販の食材・冷凍食品を使う

ちくわなど、そのまま詰められる市販の食材は、すき間うめに大活躍。市販の冷凍食品も上手にとり入れます。

いたみを防ぐコツ 7
7 points

point 1 よく火を通す
肉や魚、卵などは、中までしっかりと火を通します。

point 2 おかずは温め直す
作りおきのおかずは、しっかりと温め直すと安心です（p.67）。

煮ものなどは、汁気をとばす効果もあります

point 3 よくさます
温かいうちに詰めると水蒸気がこもってしまい、いたみの原因に。おかずもごはんも、必ずよくさましてからお弁当箱に詰め、全体がさめてからふたをします。

トレーや皿に広げてさまします。急ぐときは、下にぬれぶきんや保冷剤を

point 4 野菜は水気をとる
ミニトマトなど、生野菜やくだものは水気がついたまま詰めると、水についている雑菌がほかのおかずにもついてしまい、いたみの原因に。しっかりと水気をふきとってから詰めます。

point 5 昔ながらの食材を防腐剤として活用する
「ごはんに梅干し」は、ごはんをいたみにくくする昔からの知恵。梅干しはきざんで全体に混ぜたほうが効果があります。ほかにも、ごはんに酢を混ぜて炊いたり、すし飯にしたりしても。

ごはんに酢を混ぜて炊くときは、「米用カップ1に酢大さじ1/2」がめやす

point 6 おにぎりを作るときはラップで
おにぎりを作るときは、雑菌がつかないように、ラップを使うと安心です。

蒸気がこもらないように、にぎったあとはラップを広げてさまします

point 7 保冷剤をつける
夏場は保冷剤をつけると安心です。冷気は上から下にいくので、弁当箱の上にのせましょう。

お弁当の小ワザ

自然解凍で食べられる冷凍おかずを凍ったまま入れて、保冷剤代わりに。ほかのものがさめてから詰めます（渋谷教室 川崎清美）

おいしいお弁当のコツ 7
7 points

point 1 ごはんとおかずは半分ずつ
お弁当の半分がごはん、残り半分は、大きいおかず1品＋小さいおかず2品がめやすです。肉や魚、野菜をバランスよく組み合わせましょう。

point 2 味つけは濃いめにする
濃いめの味つけのほうが、さめてもおいしく感じられます。ただ味を濃くするのではなく、薄味のものに香辛料などをうまく使って味にメリハリをつけましょう。〈甘い・辛い・酸っぱい〉〈濃い味・薄い味〉をバランスよく組み合わせます。

point 3 彩りをよくする
ごはんの〈白〉に、肉の〈黒・茶〉、野菜の〈赤〉〈黄〉〈緑〉がそろうと、華やかになり、自然と栄養バランスもよくなります。

point 4 おかずは食べやすくする
お弁当箱の中では、箸で切ったりほぐしたりしにくいもの。大きいおかずは、食べやすく切ってから詰めます。箸でつかみにくいおかずは、ピックなどに刺すと、見た目もかわいくなります。

point 5 もようや形をくふうする
野菜の肉巻きなど、うず巻き状のもようを作ったり、野菜やごはんを型で抜いたりすると、見た目が楽しくなります。切り口や形がよく見えるように詰めましょう。

point 6 味が混ざらないようにする
ケースやカップ、バランなど（p.92）を使い、味やにおいが混ざるのを防ぎます。

point 7 すき間なく詰める
持ち歩くうちに中身が片寄らないように、ごはんとおかずはすき間なく、きっちりと詰めます。

彩りおかず（例）

Red

赤
さけ　たらこ　梅干し
にんじん　ミニトマト　ラディッシュ
りんご　いちご　など

Yellow

黄
卵　チーズ　かぼちゃ　さつまいも
コーン　たくあん
オレンジ　パイナップル　など

緑
ブロッコリー　グリーンアスパラガス
さやいんげん　青菜　ピーマン　キャベツ
しその葉　キウイフルーツ　など
Green

黒・茶
肉　しいたけ　しめじ　なす　ひじき
のり　ごま　プルーン　レーズン　など
Black & Brown

お弁当に向かないおかず

▲ 水分の多いもの　→　汁もれ対策をすれば OK

甘酢漬けなどはラップにくるんで。におい移りも防げます

おひたしなどは、けずりかつおやすりごま、とろろこんぶであえて、水分を吸わせます

汁気の多いおかずの下にとろろこんぶを入れます。汁気を吸って、こんぶのうま味も加わります

汁気の出やすいくだものなどは、別容器に入れます

▲ においの強いもの

にんにく、生のたまねぎ、ねぎなどは、量をひかえましょう

▲ さめると固まるもの

脂肪分の多い肉や魚は、さめると脂が固まってしまいます

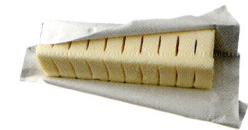
バターはさめると固まりやすいので、使いすぎないように。お弁当用のいためものには植物油が向いています。ごま油やオリーブ油を使うと、風味が加わります

25

朝、すぐに作れる
スピード弁当おかず

忙しい朝は、たとえ1分でも早く、
そしてかんたんに作れるおかずがうれしい。
省ける作業はどんどん省く、
でも、味はさめてもおいしく、見た目もかわいく。
前の晩に下ごしらえできなくても、
当日の朝にパパッと作れるものばかりです。
もちろん、熱々で食べてもおいしいので、
ふだんのごはんにもどうぞ。

下ごしらえがらくな材料

フライパンや電子レンジ、
オーブントースターを
同時にうまく使って

市販品のたれやソースを活用

だ　か　ら

朝、すぐに作れる！

あと1品！
すき間うめ食材　ベスト3

1. ミニトマト
　　栄養はもちろん、彩りもよくしてくれます

2. ウィンナーソーセージ
　　おかずがものたりないときに

3. ちくわ
　　切って詰めるだけなので便利

10分で作れる
スピード大きいおかず

肉巻き3種

前の晩に巻いておけば、朝は焼くだけです（浜村）

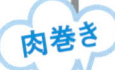

肉巻き

1. ゆで野菜

冷凍　子ども

ゆで野菜は、アスパラ、にんじん、じゃがいも、
さやいんげんなど、お好みで

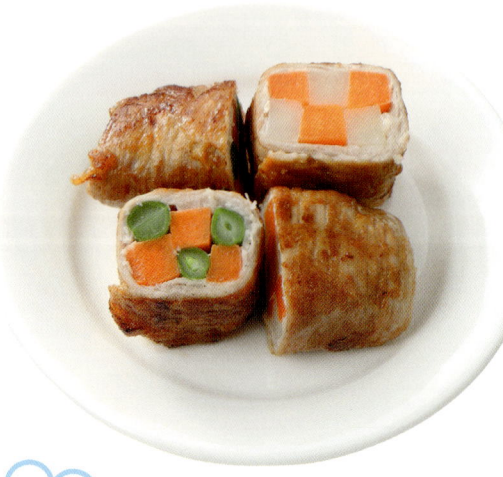

材料（1単位分）
豚もも肉（薄切り）— 2枚（50g）
ゆで野菜（5〜6cm長さの棒状）— 適量
サラダ油 — 小さじ1
A［ 酒 — 小さじ1/2　しょうゆ — 小さじ1/2

作り方　●183kcal
1 肉を広げ、塩・こしょう各少々（材料外）をふります。ゆで野菜を手前に置き、巻きます。同様にもう1個作ります。
2 フライパンに油を中火で温め、巻き終わりを下にして**1**を入れます。ふたをして、時々肉を動かしながら焼きます。Aを加えてからめます。半分に切ります。

肉巻き

2. ねぎ

万能ねぎは生のまま
巻けるので、手軽です

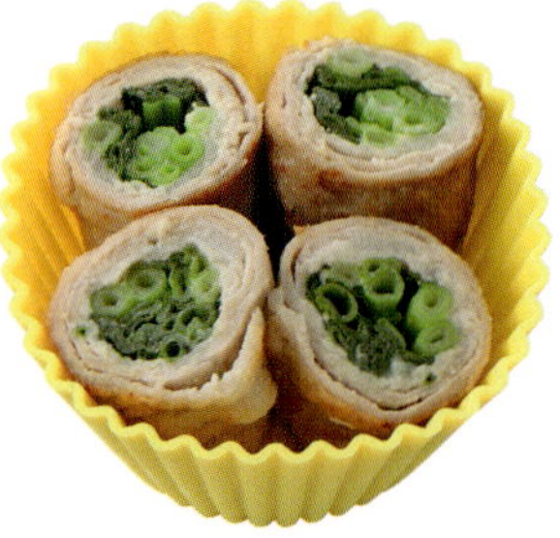

子ども

材料（1単位分）
豚もも肉（薄切り）— 2枚（50g）
A［ みそ — 小さじ1/4　マヨネーズ — 小さじ1
万能ねぎ（5〜6cm長さに切る）— 4本
サラダ油 — 小さじ1

作り方　●163kcal
1 Aを合わせて肉にぬり、ねぎを巻きます。
2 フライパンで上（ゆで野菜）と同様に焼きます。

肉巻き

3. しそチーズ

チーズとしその香りで、
さめてもおいしいおかずです

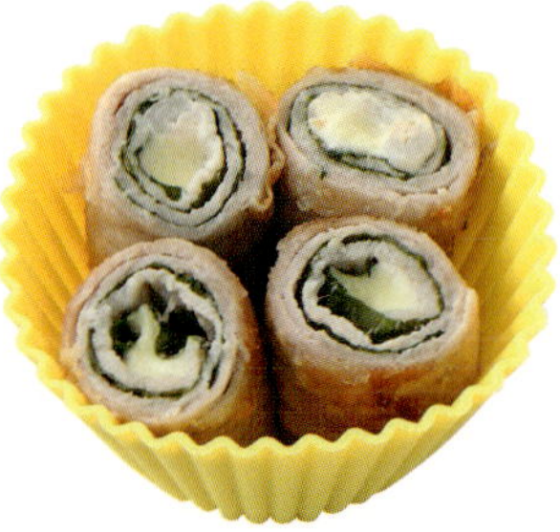

冷凍　子ども

材料（1単位分）
豚もも肉（薄切り）— 2枚（50g）
プロセスチーズ（4〜5cm長さに切る）— 20g
しその葉 — 4枚
サラダ油 — 小さじ1

作り方　●198kcal
1 肉に塩・こしょう各少々（材料外）をふり、しそとチーズを巻きます。
2 フライパンで上（ゆで野菜）と同様に焼きます。

ピカタ3種

ピカタは、ほとんどの肉、魚、野菜に使える調理法で、お弁当におすすめ。
卵液を2度づけ、3度づけすると、濃い黄色に（三笠）

ピカタ

1. むきえび

冷凍　子ども

ぷりぷりの食感が楽しめます

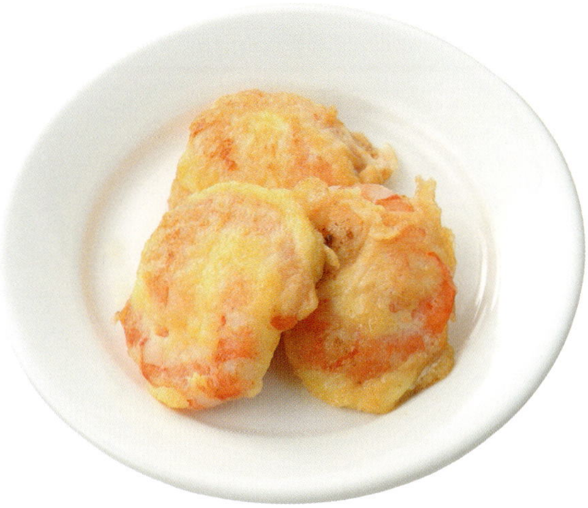

材料（1単位分）

むきえび — 9尾（約80g）　酒 — 小さじ1
小麦粉 — 大さじ1/2
A［卵 — 1/2個　粉チーズ — 大さじ1
サラダ油—小さじ1

作り方　●187kcal

1 むきえびは酒をふってよくもみます。
2 ボールにAを入れてよく混ぜます。
3 えびを3尾ずつまとめて小麦粉をまぶします。
4 フライパンに油を温め、えびを2にくぐらせて、両面に焼き色がつくまで、弱めの中火で焼きます。

10min

ピカタ

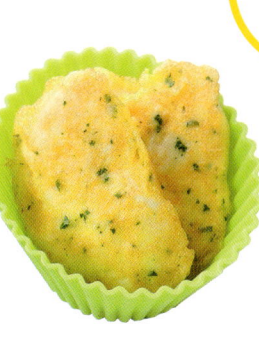

2. スパム

スパムの塩気で、ごはんがすすみます

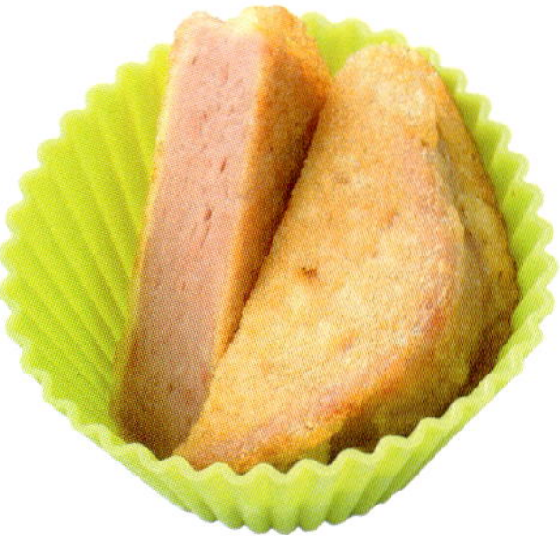

冷凍　子ども

材料（1単位分）

スパム* — 1/4缶（50g）
小麦粉 — 小さじ1
A［卵 — 1/2個　粉チーズ — 大さじ1
サラダ油 — 小さじ1

*ポークランチョンミートのこと

作り方　●277kcal

1 スパムは1.5cm厚さのひと口大に切ります。
2 ボールにAを入れてよく混ぜます。
3 小麦粉をまぶし、2にくぐらせて、上（むきえび）と同様に焼きます。

ピカタ

3. とりささみ

卵に包まれて、ささみがふっくら焼きあがります

冷凍　子ども

材料（1単位分）

ささみ — 1本（60g）　小麦粉 — 小さじ1
A［卵 — 1/2個　粉チーズ — 大さじ1
　パセリ（みじん切り）— 小さじ1/2
サラダ油 — 小さじ1

作り方　●176kcal

1 ささみは筋をとり、身の厚いところは切り目を入れてひらき、3〜4つに切ります。
2 ボールにAを入れてよく混ぜます。
3 小麦粉をまぶし、2にくぐらせて、上（むきえび）と同様に焼きます。

ハーブパン粉焼き3種

ハーブパン粉焼き

牛乳をまぶすことでしっとりやわらかく、風味よく焼きあがります（浜村）

1. とり肉

冷凍　子ども

むね肉やささみでも、同様に作れます

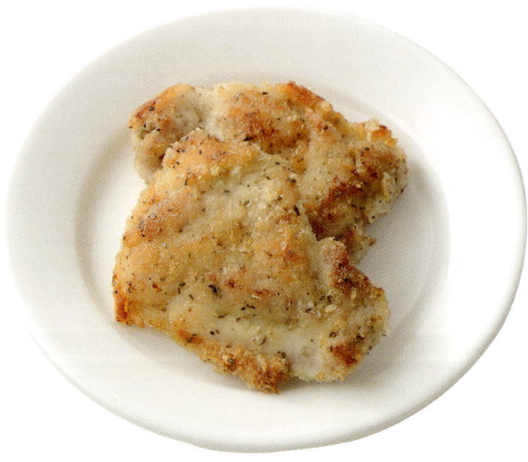

材料（1単位分）

とりもも肉 — 100g　牛乳 — 大さじ1/2

A［パン粉 — 大さじ2　乾燥ハーブ* — 小さじ1/4

サラダ油 — 大さじ1

*バジル、オレガノなど

作り方　●348kcal

1 とり肉は3〜4つのそぎ切りにして、塩・こしょう各少々（材料外）をふります。皿かトレーにAを合わせます。

2 とり肉に牛乳をまぶし、Aをつけて軽く押さえます。

3 フライパンに油を温め、弱めの中火で**2**を焼きます。焼き色がついたら裏返し、フライ返しで軽く押さえながら、裏面も焼きます。

ハーブパン粉焼き

2. 豚ヒレ肉

粉チーズを加えて、コクをプラスします

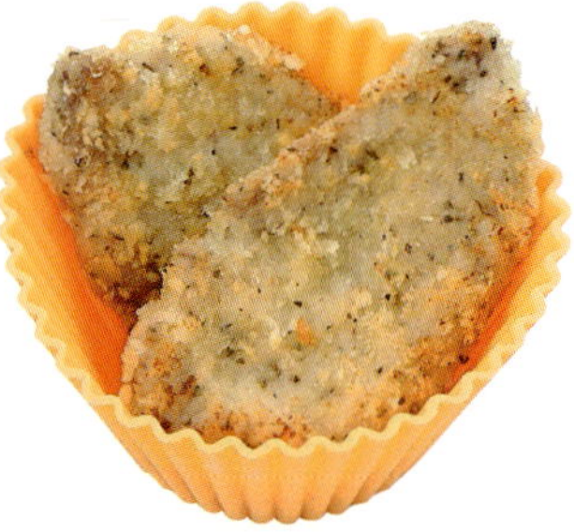

冷凍　子ども

材料（1単位分）

豚ヒレ肉 — 60g

牛乳 — 大さじ1/2

A［パン粉 — 大さじ2　乾燥ハーブ — 小さじ1/4
　粉チーズ — 大さじ1/2

サラダ油 — 大さじ1

作り方　●231kcal

1 豚肉は1cmくらいの厚さに切り、塩・こしょう各少々（材料外）をふります。皿かトレーにAを合わせます。

2 上（とり肉）と同様に、牛乳とAをつけ、焼きます。

ハーブパン粉焼き

3. かじき

パサつきがちなかじきが、さめてもしっとりやわらか。カレーの風味がくさみを消してくれます

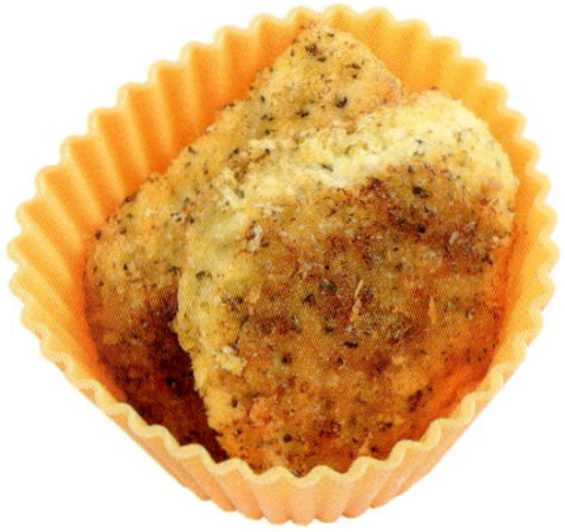

冷凍　子ども

材料（1単位分）

かじき — 1切れ（80g）

牛乳 — 大さじ1/2

A［パン粉 — 大さじ2　乾燥ハーブ — 小さじ1/4
　カレー粉 — 小さじ1/4

サラダ油 — 大さじ1

作り方　●263kcal

1 かじきは3〜4つに切り、塩・こしょう各少々（材料外）をふります。皿かトレーにAを合わせます。

2 上（とり肉）と同様に、牛乳とAをつけ、焼きます。

磯辺焼き3種

お弁当の強い味方、のり。どんなものでも、巻くだけでおいしく変身させます

磯辺焼き 1. さけ

さけの塩気が少ないときは、しあげにしょうゆ少々をたらします

材料（1単位分）
さけ（甘塩）— 小1切れ（80g）
小麦粉 — 少々
焼きのり — 1/2枚
サラダ油 — 小さじ1

作り方 ●203kcal
1 さけは骨と皮をとります。4～5つのそぎ切りにします。
2 のりをさけの数に合わせて、等分に切ります。
3 さけに小麦粉を薄くまぶし、のりではさみます。
4 フライパンに油を温めて3を入れ、弱めの中火で約2分焼きます。裏返して1～2分焼きます。

磯辺焼き 2. かんたんつくね

つなぎはかたくり粉のみなので、手軽です

材料（1単位分）
A［とりひき肉 — 40g　ねぎ（みじん切り）— 3cm
　　塩 — 少々　酒 — 小さじ1/2
　　かたくり粉 — 小さじ1/2］
焼きのり（4つに切る）— 1/4枚分
B［めんつゆ（3倍濃縮）— 小さじ1/2
　　水 — 小さじ1］

作り方 ●100kcal
1 Aをよく混ぜ合わせます。
2 4等分してのりに広げます。フライパンにサラダ油少々（材料外）を温め、肉の面から焼き、のり側も1～2分焼きます。火を止め、Bを加えてからめます。

磯辺焼き 3. はんぺんチーズ

最後にしょうゆ少々をたらして風味づけするのもおすすめです
（横浜教室　畑中由美子）

材料（1単位分）
はんぺん — 小1枚（60g）
スライスチーズ — 1枚
焼きのり（2×10cm）— 4枚

作り方 ●138kcal
1 はんぺんは4等分して厚みを半分に、チーズも4等分に切ります。はんぺん2枚でチーズをはさみます。合計4個作ります。
2 のりを巻き、フライパンにサラダ油少々（材料外）を温め、両面を色よく焼きます。

お助け加工食品をアレンジ

保存がきいて使いやすい加工食品。ひとくふう加えると、お弁当のメインおかずになります（三笠）

ツナ缶

ツナのピーマンカップ焼き
コーンとたまねぎの食感がおいしい

材料（1単位分）
ピーマン — 小1個
A [ツナ缶詰 — 20g
　　コーン缶詰 — 20g
　　たまねぎ — 20g
　　しょうゆ — 小さじ1/2
　　小麦粉 — 小さじ1]
サラダ油 — 大さじ1/2

調理時間 5min / 10min

作り方 ●155kcal
1 ピーマンは縦半分に切り、種を除きます。たまねぎはみじん切りにして、塩少々（材料外）をふってもみ、水気をしぼります。
2 Aをよく混ぜ合わせ、ピーマンに詰めます。
3 フライパンに油を温め、切り口を下にして2を入れます。焼き色がついたら裏返し、ふたをして焼きます。

ツナのおやき
お好み焼き粉を使うので、手軽です

材料（1単位分）
ツナ缶詰 — 20g
ミックスベジタブル — 大さじ2（20g）
A [お好み焼き粉 — 大さじ1 1/2
　　水 — 大さじ1 1/2
　　塩 — 少々]
サラダ油 — 小さじ1

調理時間 3min / 10min

作り方 ●147kcal
1 ミックスベジタブルは熱湯をかけ、水気をきります。
2 Aをよく混ぜ、ツナ、1を加えて混ぜます。
3 フライパンに油を温め、2を2等分して入れ、両面を色よく焼きます。

ソーセージ

ちくわ

ソーセージロール2種

いためただけよりもボリュームアップ。
ぎょうざの皮が余ったときにお試しください

子ども

ちくわの磯辺揚げ

紅しょうがが味と彩りのアクセントになっています

子ども

材料（1単位分）
ウィンナーソーセージ — 2本
ぎょうざの皮 — 2枚
しその葉 — 1枚
焼きのり — 1/8枚
練りからし — 少々
A［天ぷら粉 — 大さじ1 1/2
　　水 — 大さじ1 1/2］
揚げ油 — 適量

5min / 10min 調理時間

作り方 ●228kcal

1 ソーセージは斜めに切りこみを入れ、からしをぬります。1本にのり、1本にしその葉をそれぞれ巻いてぎょうざの皮でくるみ、端に水少々をつけてとめます。Aは合わせてよく混ぜます。

2 深めのフライパンに揚げ油を2cmほど熱します。**1**をAにさっとくぐらせ、巻き終わりを下にして入れます。箸で押さえながら1～2分色よく揚げます（途中で上下を返します）。斜め半分に切ります。

材料（1単位分）
ちくわ — 1本（25g）
A［天ぷら粉 — 大さじ1
　　水 — 大さじ1
　　青のり — 少々
　　紅しょうが — 少々］
揚げ油 — 適量

1min / 5min 調理時間

作り方 ●102kcal

1 ちくわは3～4つの斜め切りにします。紅しょうがはきざみます。

2 Aはよく混ぜます。

3 深めのフライパンに揚げ油を1cmほど熱します。ちくわをAにくぐらせ、転がしながら1～2分色よく揚げます。

33

5分で作れて彩りになる スピード小さいおかず

彩りがたりない、すき間があいた…そんなときに役立つ、超かんたん・小さいおかずレシピです

青菜の塩こんぶあえ

青菜の水気を吸って、こんぶがやわらかくなります。うま味出しにも

材料（1単位分）
ゆでた青菜*（3cm長さ）— 30g
塩こんぶ — 少々

＊ほうれんそう、こまつななど

作り方 ●5kcal
青菜に塩こんぶを混ぜます。

ブロッコリーのハーブマヨ焼き

ブロッコリーも小さめに切ると、下ゆでなしでOK

材料（1単位分）
ブロッコリー — 30g
マヨネーズ — 小さじ1
乾燥ハーブ* — 少々

＊バジル、オレガノなど

作り方 ●38kcal
1 ブロッコリーは小さい房に分け、アルミカップに入れます。
2 マヨネーズをぬり、ハーブをかけます。オーブントースターで3～4分、焼き色がつくまで焼きます。

--- **quick!**

いためアスパラのチーズがけ

余熱で溶けないように、粉チーズは最後にふります

材料（1単位分）
グリーンアスパラガス
　（細めのもの）— 1～2本（30g）
サラダ油 — 少々
粉チーズ — 適量

作り方 ●37kcal
1 アスパラガスは端を切り落とし、根元の皮をむいて斜めに薄く切ります。
2 フライパンに油を温め、根元から順に入れ、約2分いためます。とり出して、粉チーズをふります。

Green 緑

いんげんのベーコン巻き 子ども

いんげんは生のままでOK、蒸し焼きにして火を通します

材料（1単位分）
さやいんげん — 3〜4本（20g）
ベーコン — 1枚
こしょう — 少々

作り方 ●85kcal
1 さやいんげんはへたを切り落とし、長さを半分に切ります。ベーコンは半分に切ります。
2 ベーコンでいんげんを巻き、つまようじでとめます。
3 フライパンに並べて水大さじ2（材料外）を入れ、ふたをして中火で1〜2分蒸し焼きにします。ふたをとり、水分をとばして焼き色をつけます。こしょうをふります。

quick!

ピーマンのごまあえ 子ども

すりごまがピーマンの水気を吸ってくれます

材料（1単位分）
ピーマン — 1個
A ［ サラダ油 — 少々
　　 しょうゆ — 少々 ］
すりごま（白）— 小さじ1/2

作り方 ●21kcal
1 ピーマンは種をとって1cm幅に切り、長さを半分にします。
2 器にAを合わせ、ピーマンを入れて混ぜます。ラップをして電子レンジで約30秒加熱します。すりごまをふって混ぜます。

5 min

ミニロールキャベツ 子ども

巻く具は、かにかまやつくだ煮などでも

材料（1単位分）
キャベツ — 小1〜2枚（30g）
塩 — 少々
ハム — 1枚

作り方 ●45kcal
1 キャベツは芯を除いて塩をふります。ラップに包み、電子レンジで約20秒加熱します。
2 キャベツがさめたら、ハムをのせて巻きます。食べやすく切ります。

赤 Red

にんじんのレンジグラッセ

バターをのせてチン、で完成。
彩りがほしいときに

材料（1単位分）
にんじん ― 50g
バター ― 3g

作り方 ●39kcal
1. にんじんは5mm厚さの輪切りか半月切りにします。
2. 器に入れ、バターをちぎってのせます。ラップをして電子レンジで約1分30秒加熱します。

5min

にんじんの塩いため

シンプルに、にんじんの甘みを生かします

材料（1単位分）
にんじん ― 50g
ごま油 ― 少々
塩 ― 少々

作り方 ●35kcal
1. にんじんは薄い半月切りかいちょう切りにします。
2. フライパンにごま油を温め、にんじんを中火でさっといためます。塩をふります。

quick!

にんじんのごまぽん酢あえ

ぽん酢でさっぱりと。シャキシャキした食感がおいしい

材料（1単位分）
にんじん ― 50g
A［すりごま（白）― 小さじ1
　 ぽん酢しょうゆ ― 小さじ1］

作り方 ●28kcal
1. にんじんは3～4cm長さの細切りにします。皿にのせてラップをして、電子レンジで約1分加熱します。
2. Aを合わせ、にんじんをあえます。

Yellow 黄

かぼちゃのシンプルソテー
子ども

薄切りにしたかぼちゃは、フライパンでふたをして蒸し焼きにすれば、火が通ります

材料（1単位分）
かぼちゃ ― 50g
オリーブ油 ― 少々
塩 ― 少々

作り方 ●59kcal
1 かぼちゃは5mm厚さに切ります。
2 フライパンにオリーブ油を温め、かぼちゃを入れます。ふたをして、弱火で2〜3分加熱して火を通します（途中で裏返します）。塩をふります。

quick!

かぼちゃサラダ
子ども

コロコロした形がかわいい

材料（1単位分）
かぼちゃ ― 50g
クリームチーズ ― 10g
マヨネーズ ― 小さじ1

作り方 ●103kcal
1 かぼちゃは1.5cm角に切ります。皿にのせて水少々（材料外）をふり、ラップをして電子レンジで約2分、やわらかくなるまで加熱します。
2 クリームチーズは1cm角に切ります。かぼちゃ、マヨネーズと混ぜます。

5 min

さつまいものレンジ茶きん
冷凍 子ども

あるとうれしい甘めのおかず。レンジで手軽に

材料（1単位分）
さつまいも ― 50g
A ┌ はちみつ ― 小さじ1
　└ バター ― 3g

作り方 ●102kcal
1 さつまいもは皮をむいて1cm角に切り、水にさらして水気をきります。皿にのせ、ラップをして電子レンジで約1分、やわらかくなるまで加熱します。
2 温かいうちにフォークでつぶし、Aを混ぜます。ラップで包み、形をととのえます。

黒・茶 Black & Brown

なすのスープ煮 子ども

皮をむくと、味がしみこみやすくなります。見た目もきれい

材料（1単位分）
なす — 1個（70g）
サラダ油 — 小さじ1
A［水 — 50ml
　スープの素 — 小さじ1/8
　しょうゆ・塩・こしょう
　　— 各少々］

作り方 ●53kcal
1 なすはへたをとり、しまもように皮をむいて1cm厚さの輪切りにします。
2 フライパンに油を温め、なすを並べます。軽く焼き色がつくまで両面を焼きます。Aを加え、汁気がなくなるまで、弱火でふたをして煮ます。

5 min

焼きしいたけ 子ども

油をからめて焼くので、ジューシーにしあがります

材料（1単位分）
しいたけ — 2個
ごま油 — 小さじ1
塩 — 少々

作り方 ●41kcal
1 しいたけは軸をとります。油をからめます。
2 アルミホイルに並べ、オーブントースターで3〜4分、香りが出るまで焼き、塩をふります。

※食べやすく、ピックに刺しても

quick!

しめじのぽん酢煮

子どもには、七味とうがらしはなしでも

材料（1単位分）
しめじ — 30g
A［水 — 大さじ2
　ぽん酢しょうゆ — 大さじ1/2］
七味とうがらし — 少々

作り方 ●11kcal
1 しめじは小房に分けます。
2 小鍋にAとしめじを入れ、1〜2分、汁気がなくなるまで混ぜながら煮ます。七味とうがらしをふります。

White 白

みそ焼きれんこん
子ども

穴のあいたれんこんは、お弁当に入れるとかわいい

材料（1単位分）
れんこん — 50g
A[みそ — 小さじ½
　 みりん — 小さじ½]

作り方 ●41kcal
1 れんこんは皮をむき、5mm厚さの輪切りにします。水にさっとさらします。Aは合わせます。
2 アルミホイルにれんこんを並べ、Aを薄くぬります。オーブントースターで3～4分、焼き色がつくまで焼きます。

quick!

かぶのゆかりあえ
子ども

ゆかりはごはんだけでなく、あえものにも使えます

材料（1単位分）
かぶ — 小1個（70g）
塩 — 小さじ⅛
ゆかり — 小さじ¼

作り方 ●13kcal
1 かぶは皮をむき、1～2cm角に切ります。塩をふってよくもみます。3分ほどおいて水気をしぼります。
2 ゆかりであえます。

5 min

焼き長いも
子ども

焼いた長いもは、サクサクとした食感

材料（1単位分）
長いも — 50g
サラダ油 — 小さじ½
しょうゆ — 少々
いりごま（黒） — 少々

作り方 ●56kcal
1 長いもは皮つきのまま1cm厚さの輪切りにします。
2 フライパンに油を温め、長いもの両面を色よく焼きます。しょうゆを鍋肌から入れて、火を止めます。ごまをのせます。

卵のおかず

いつも家にあって、どんな食材、味つけにも合う卵。
明るい黄色でパッと華やかにしてくれる、お弁当の強い味方です。

子ども

卵焼き（プレーン）

忙しい朝は、だしの代わりに
酒を使います（池袋教室　栗原聰美）

調理時間 5〜10min

材料（作りやすい分量）

- 卵 ― 2個
- 酒 ― 大さじ1/2
- 塩 ― 小さじ1/8
- 砂糖 ― 少々

作り方 ●全量 165kcal

1 すべての材料をよく混ぜます。
2 卵焼き器かフライパンに油少々（材料外）を温め、余分な油をペーパータオルでふきとります。卵液を1/4量ほど流し入れ、奥から手前に巻いていきます。
3 焼けた卵を奥にもどして卵焼き器に油少々をぬり、再び卵液を流し入れます（卵の下にも）。表面が乾いてきたら、奥から手前に巻いていきます。これを数回くり返します。

甘めの卵焼き

材料（作りやすい分量） ●全量 225kcal

- 卵 ― 2個
- 砂糖 ― 大さじ1 1/2
- 酒 ― 大さじ1/2
- 塩 ― 少々

先生のイチ押し！

じゃことねぎの卵焼き

具を混ぜこんで焼いても

材料（作りやすい分量） ●全量 202kcal

- 卵 ― 2個
- ちりめんじゃこ ― 大さじ2（10g）
- 万能ねぎ（小口切り）― 2〜3本
- 酒 ― 大さじ1/2
- しょうゆ ― 小さじ1/2

※作り方はどちらも上の卵焼き（プレーン）と同じ

よく作る 卵焼きの具ランキング

- 1位 万能ねぎ
- 2位 ちりめんじゃこ
- 3位 青のり
- 4位 桜えび
- 5位 カットわかめ

ソーセージ巻き卵
かわいい見た目に、子どもが喜びそう

材料（作りやすい分量）
魚肉ソーセージ ― 1本
A［卵 ― 2個　みりん ― 大さじ1　塩 ― 少々］

作り方　●全量 315kcal
1 Aをよく混ぜます。ソーセージは、卵焼き器の幅に合わせて切ります。
2 卵焼き器に油少々（材料外）を温め、卵液を1/4量ほど流し入れます。ソーセージを奥に置き、手前に巻いていきます。
3 卵を奥にもどして油少々をぬり、再び卵液を流し入れます（卵の下にも）。表面が乾いてきたら、奥から手前に巻いていきます。これを数回くり返します。

ピザ風卵焼き
卵焼き器で四角く作ってもOK

材料（作りやすい分量）
ピーマン（輪切り） ― 1個
A［卵 ― 2個　ウィンナーソーセージ（輪切り） ― 1本
　たまねぎ（みじん切り） ― 大さじ2
　牛乳・粉チーズ ― 各大さじ1
　塩・こしょう ― 各少々］

作り方　●全量 269kcal
1 Aをよく混ぜます。
2 小さめのフライパンに油少々（材料外）を温め、1を入れます。ピーマンをのせ、ふたをして弱火で焼きます。表面がかたまったら、裏返して約1分焼きます。

半月卵焼き
卵1個で作れます。黄身にもしっかり火を通しましょう

材料（1個分）
卵 ― 1個
かいわれだいこん（根元を切る） ― 1/4パック（20g）
めんつゆ（3倍濃縮） ― 少々

作り方　●92kcal
1 小さめのフライパンにごま油少々（材料外）を温め、卵を割り入れます。
2 かいわれを半分ずつ交互にのせ、めんつゆをたらします。卵が固まってきたら、フライ返しで半分に折りたたみます。焼き色がついたら裏返し、ふたをして弱火で焼きます。塩少々（材料外）をふります。

卵の和風ココット
夕飯の煮ものをアレンジ。オーブントースターにおまかせなので、手軽です

材料（直径5cm・厚めのアルミカップ1個分）
卵 ― 1/2個
ひじきの煮もの ― 大さじ2（20g）

作り方　●66kcal
1 アルミカップにひじきの煮ものを入れます。卵はといて、そそぎます。
2 オーブントースターで約5分、卵が固まるまで焼きます。

※切り干しだいこん、肉じゃがなどの煮ものやカレーもおすすめです

ごはん派におすすめ！

おかず&カラフル おにぎり

腹もちがよく、片手でパクッと食べられる手軽さがうれしいおにぎり。肉おかずと合体させた、食べごたえありの"おかずおにぎり"と、見るだけでおいしそうな"カラフルおにぎり"です。

子ども

調理時間 5〜10min

okazu

肉巻きおにぎり
肉のうま味がごはんにたっぷりしみこみます

材料（1個分）
温かいごはん — 80g
牛もも肉（薄切り） — 1枚（30g）
いりごま（白） — 小さじ½
A ┌ めんつゆ（3倍濃縮） — 小さじ1
　└ 酒 — 小さじ1

作り方 ●220kcal
1 ごはんにごまを混ぜてにぎります。牛肉で全体を巻きます。
2 フライパンに油少々（材料外）を温め、肉の巻き終わりを下にして入れます。中火で転がしながら焼きます。
3 肉に火が通ったら、Aを合わせて入れ、からめます。

から揚げおにぎり
天むすのから揚げ版。から揚げの頭をのぞかせてにぎりましょう

材料（1個分）
温かいごはん — 80g
から揚げ — 1個
焼きのり — ⅓枚

作り方 ●205kcal
1 塩少々（材料外）でごはんを軽くにぎり、から揚げをうめこんで形をととのえます。
2 のりを巻きます。

スパムおにぎり
沖縄やハワイのローカルフード。食べごたえありで、男性にも喜ばれそう

材料（1個分）
温かいごはん — 80g
スパム* — 7〜8mm厚さを1枚
A ┌ みりん — 小さじ½
　└ しょうゆ — 少々
焼きのり — 縦長¼枚
*ポークランチョンミートのこと

作り方 ●270kcal
1 フライパンにスパムを入れ、弱火でじっくりと、焼き色がつくまで両面を焼きます。ペーパータオルで脂をふきとり、Aを加えてからめます。
2 スパムの空き缶にラップを敷き、ごはんを詰めます。缶からとり出し、1をのせて、のりを巻きます。

※空き缶がないときは、スパムの形に合わせて、ごはんをにぎります

お弁当の小ワザ
すぐに使えるように、のりは使うサイズに切って、乾燥剤と一緒に空きびんに入れておきます
（千葉教室　緒方則子）

colorful

ゆかりとチーズのおにぎり
チーズでボリュームアップ。ごまを混ぜてもおいしい

材料（1個分）
温かいごはん — 80g
ゆかり — 小さじ1
プロセスチーズ（角切り）— 10g

作り方 ●172kcal
ごはんに材料全部を混ぜて、にぎります。

みそ味の焼きおにぎり
トースターで焼くので手軽。ごま油がポイントです

材料（1個分）
温かいごはん — 80g
みそ — 小さじ½
ごま油 — 少々

作り方 ●148kcal
1 おにぎりを作り、みそを薄くぬります。
2 アルミホイルにごま油を薄くぬり、1をのせます。オーブントースターで4〜5分、焼き色がつくまで焼きます。

かぶの葉とおかかのおにぎり
だいこんの葉やこまつなど、ほかの青菜でもおいしくできます

材料（1個分）
温かいごはん — 80g
かぶの葉 — 20g
A ┌ けずりかつお — 2g
　├ 塩 — 小さじ⅛
　└ しょうゆ — 小さじ½

作り方 ●147kcal
1 かぶの葉はラップに包み、電子レンジで約20秒加熱します（熱湯でさっとゆでても）。細かくきざみ、水気をしぼります。Aを混ぜます。
2 ごはんに1を混ぜて、にぎります。

桜えびとみつばのおにぎり
えびとみつばの香りがよく合う、上品なおにぎりです

材料（1個分）
温かいごはん — 80g
桜えび（乾燥）— 大さじ1
みつば — 4本
塩 — 少々

作り方 ●143kcal
1 みつばはラップに包み、電子レンジで約20秒加熱します（熱湯でさっとゆでても）。細かくきざみ、水気をしぼります。桜えびはあらくきざみます。
2 ごはんに1と塩を混ぜて、にぎります。

夕ごはんや朝ごはん作りと
"まとめて" 弁当づくり

忙しい朝に、イチからお弁当を作るのは、たいへん。
そこでおすすめなのが、夕ごはんや朝ごはんを作るときに、お弁当の分も一緒に、
"まとめて"下ごしらえをして、"まとめて"火を通しておくこと。
朝の弁当づくりがぐっとらくになり、エネルギーも節約できます。

まとめて 洗っておく

野菜はまとめて洗っておきます。しっかり水気をきります。

まとめて 切っておく

すぐに使えるように、肉や魚はお弁当用サイズに切っておきます。

すぐに使えるように、野菜はまとめて切っておきます。

肉や魚を焼くときは、ごはん用と弁当用をまとめて焼きます。

野菜は同じ湯で、まとめてゆでます。火が通りにくいものからゆで始め、火が通りやすいものはあとから。

まとめて
火を通しておく

パンを焼くときに
オーブントースターで作れるお弁当おかずを、パンと一緒に焼きます。

お弁当の小ワザ

朝は、もやし、キャベツ、ピーマン、たまねぎなどの野菜を多めにいためます。野菜いためとしてお弁当に入れるほか、朝ごはんのスープの具に、巣ごもり卵にとフル活用します（渋谷教室　加藤美子）

Q 下ごしらえした食材の保存は？

A 野菜は密閉容器かポリ袋に入れます。

ここにまとめておくよ

A 肉や魚はラップで包みます。翌朝使わないときは、冷凍保存します。

夕ごはんのおかずを かんたんアレンジ！

とりおいた夕ごはんのおかずにひとくふう加えて、
味も見た目も大変身させてしまいましょう。

さけの塩焼き

アレンジ！ **さけのマヨネーズ焼き** 子ども

材料（1単位分）
さけの塩焼き ― 小1切れ（80g）
マヨネーズ ― 小さじ1
粉チーズ ― 適量

作り方 ●174kcal

1 さけは骨をとり、食べやすく切ります（切ってから焼いたほうがきれい→p.44）。
2 さけをアルミホイルに並べます。マヨネーズをぬり、粉チーズをふります。オーブントースターで約3分、焼き色がつくまで焼きます。

調理時間 5min

先生のかんたんrecipe

みそ玉

自家製インスタントみそ汁 1週間日もち 子ども

みそ玉を作っておけば、あとは熱湯をそそぐだけ。
ラップに包んで持っていきます（浜村）

材料（5食分）
みそ ― 大さじ2
カットわかめ ― 大さじ2
けずりかつお ― 3g

作り方 ●1食分 16kcal

1 材料全部を混ぜ合わせ、5等分して丸めます。
2 アルミホイルに並べ、オーブントースターで4～5分、焼き色がつくまで焼きます。
3 食べるときは、みそ玉1個につき熱湯150mlをそそぎ、よく混ぜます。

調理時間 10min

さけのマヨネーズ焼き弁当

夕ごはんをアレンジしたおかずのよいところは、
短時間の加熱でOKで、味つけもかんたんなところ。
作りおきや詰めるだけのおかずを活用すると、
あっという間にお弁当が完成します

ゆで野菜
（にんじん&スナップえんどう）

ひじきの煮もの

きゅうり&ちくわ

コツ
ごはんを雑穀入り、ピラフなどと変化をつけると飽きません
（神戸教室　中村富美子）

雑穀ごはん&梅干し

お弁当の小ワザ
にんじんは弁当用に型ぬきをし、切れ端はみそ汁や炊きこみごはんの具にします
（銀座教室　豊田規子）

しゅうまい

アレンジ！ のり焼きしゅうまい

のりとごま油の風味が加わって
さめてもおいしい

子ども

材料（1単位分）
しゅうまい — 3個
焼きのり（しゅうまいの大きさに合わせて切ったもの）— 3枚
ごま油 — 少々

作り方 ●122kcal

1 しゅうまいにのりを巻き、端に水少々（材料外）をつけてとめます。
2 フライパンにごま油を温め、1を転がしながら焼き、塩少々（材料外）をふります。

調理時間 5min

刺し身

アレンジ！ 刺し身のごま照り焼き

ごまのプチプチした食感を楽しんで。
ひと晩漬けると、しっかり味になります

子ども

材料（1単位分）
刺し身（まぐろ、いか、ほたてなど）— 50g
A ┌ しょうゆ — 小さじ1
　 │ みりん — 小さじ1/2
　 └ 酒 — 小さじ1/2
いりごま（白）— 大さじ2
サラダ油 — 小さじ1

作り方 ●164kcal

1 器にAを合わせ、刺し身を10分以上漬けます。
2 1の汁気をきり、全体にごまをまぶします。
3 フライパンに油を温め、弱めの中火で2を焼きます。焼き色がついたら裏返し、ふたをして1〜2分焼きます。

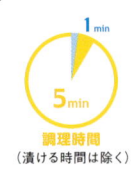

調理時間 5min
（漬ける時間は除く）

カレー

カレーサンド 子ども

カレーは、さめるとかたくなって、パンに詰めやすくなります。具を多めに入れましょう

材料（1単位分）
カレー（具入り） ― 200g
食パン（4枚切り） ― 1枚

作り方 ●474kcal

1. カレーは大きい具は食べやすいように軽くつぶし、鍋でとろりとするまで煮つめます。
2. 食パンはやや斜めに半分に切り、トースターで焼きます。厚みの半分のところに切りこみを入れます。
3. カレーのあら熱がとれたら、パンの切りこみに詰めます。

調理時間 10min（5min）

ひじきの煮もの

ひじきの卵巻きずし 子ども

さっぱり味でいたみにくいすしめしは夏のお弁当におすすめです

材料（1単位分）
ひじきの煮もの ― 30g
さやいんげん ― 2本
温かいごはん ― 150g
A* ┌ 酢 ― 大さじ1
　　├ 砂糖 ― 大さじ1/2
　　└ 塩 ― 小さじ1/6
いりごま（白） ― 小さじ1
B ┌ 卵 ― 1個
　├ 砂糖 ― 小さじ1/2
　└ 塩 ― 少々

＊市販のすし酢大さじ1を使っても

作り方 ●410kcal

1. Bはよく混ぜます。卵焼き器に油少々（材料外）を温め、薄焼き卵を2枚作ります。
2. さやいんげんはへたを切り落とし、2cm長さの斜め薄切りにします。鍋に、ひじきの煮ものと一緒に入れ、弱火で汁気がなくなるまで煮つめます。
3. Aは合わせてよく混ぜます。温かいごはんにAをさっくりと混ぜます。ごまと2を加えて混ぜます。
4. 薄焼き卵を縦長に置いて3の半量ずつをのせて巻き、食べやすく切ります。

調理時間 15min（5min）

作っておくと便利な
朝詰めるだけ弁当おかず

日もちのするおかずや、冷凍できるおかずを
時間のある休日や夜にたっぷり作っておきましょう。
たとえ1品でも、
詰めるだけでOKなおかずがあると、
気持ちがずいぶんらくになります。
もちろん、ふだんのごはんのストックとしても便利。
まとめ作りで、朝の時間に余裕がもてます。

明日も安心だわ

時間のあるときに

材料をまとめて買って

まとめて調理

たっぷり作って、かしこく保存
冷凍保存するときは、
小分けしておくと使いやすい

だから

朝することは、ちょっぴり

こんなおかずを作っておくと便利

・日もちするおかず ▷ p.52〜、p.74〜

・アレンジできるおかず ▷ p.68〜

・いろいろ使える万能だれ ▷ p.72〜

・ごはんによく合う「ごはんの友」 ▷ p.76〜

朝は詰めるだけ、の作りおきおかず

日もちするおかずなので、前もって作ってOK!

とりの照り煮

お酢のきいたさっぱり味で、さめてもおいしい。
たまねぎ、さやいんげんと一緒に煮ても

3〜4日 日もち / 冷凍 / 子ども

材料（4単位分）
とりもも肉（から揚げ用） — 300g
　かたくり粉 — 大さじ1
サラダ油 — 大さじ1/2
A [砂糖 — 大さじ1
　　酢 — 大さじ3
　　しょうゆ — 大さじ1 1/2
　　みりん — 大さじ1]

作り方 ●1単位分 189kcal

1 とり肉はかたくり粉をまぶします。フライパンに油を温めて肉を入れ、中火で両面に焼き色をつけます。火を止めて、ペーパータオルで脂をふきとります。
2 Aを加え、ふたをして弱火で約5分煮ます（時々肉を返します）。ふたをとって強火にし、汁気がほとんどなくなるまで煮つめます。

調理時間 10min

先生のかんたんrecipe

フルーツグラタン

たくさん作って冷凍しておくと、ちょっと甘みがほしいときやお弁当のすき間をうめるのに便利です
（銀座教室　佐藤益世）

りんごや**バナナ**と**パン**の角切りをアルミカップに入れます。**シナモン・砂糖・バター各少々**をのせてオーブントースターで焼きます。

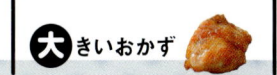

とりの照り煮弁当

コツ
汁気のあるおかずは、ラップに包んで詰めると安心

menu

とりの照り煮 (p.52)

中華風ピリ辛漬け (p.65)

ゆでかぼちゃ

枝豆

プルーン

ごはん

大きいおかず

えびのマスタードマリネ

粒マスタードでえびのくさみが消えます。
パンにも合うので、サンドイッチにするのもおすすめです（浜村）

3〜4日 日もち

材料（3単位分）
無頭えび — 9尾（約150g）
A ┌ 塩 — 小さじ1/6
　 └ こしょう — 少々
パプリカ（黄）— 1/2個
エリンギ — 1本（60g）
オリーブ油 — 大さじ1
白ワイン — 大さじ1
B ┌ 粒マスタード — 大さじ1
　 └ レモン汁 — 小さじ1

調理時間 15min

作り方　●1単位分 100kcal

1 えびは尾をひと節残して殻をむき、背わたがあれば除きます。Aをふります。
2 パプリカ、エリンギはひと口大に切ります。
3 フライパンにオリーブ油を温め、中火でえびとエリンギの両面を軽く焼きます。ワインを加えてふたをし、弱火で約1分蒸し煮にします。
4 パプリカを加えてさっといためます。Bを加え、ひと混ぜして火を止めます。

パセリごはん　子ども

温かいごはん150gに、バター5g、パセリのみじん切り大さじ1を混ぜます。好みで塩・こしょう各少々をふります。

Good idea おいしい弁当アイディア

えびサンド

パンに切りこみを入れ、バターをぬってはさむだけ。忙しい朝でも、あっという間に作れます。お弁当はもちろん、朝ごはんにもぴったり

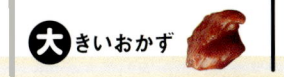

えびのマスタードマリネ弁当

コツ
混ぜごはんや味つけごはんはさめても食べやすく、栄養バランスもよくなります

menu

えびのマスタードマリネ (p.54)

いためアスパラのチーズがけ (p.34)

ミニロールキャベツ（かにかま）(p.35)

パセリごはん (p.54)

大きいおかず

肉のみそ漬け

肉は焼いてから漬けておくので、朝は詰めるだけ。
残ったみそはもう一度みそ漬けに使うか、
いためものにも使えます（浜村）

4～5日 日もち / 冷凍 / 子ども

10min 調理時間
（漬ける時間は除く）

材料（3単位分）

豚ロース肉（とんカツ用）*
　— 2枚（200g）
にんにく — 小1片（5g）
A ┌ 赤みそ — 大さじ2
　│ 砂糖 — 大さじ1
　└ 酒 — 大さじ1/2
サラダ油 — 小さじ1

*牛ステーキ肉、かじきなどの切り身魚でも

作り方 　●1単位分 205kcal

1 ポリ袋にAを合わせます。
2 肉の筋を切り、肉たたきで全体を軽くたたき、元の形にととのえます。
3 フライパンに油とにんにくを温め、中火で肉を1分焼きます。裏返してふたをして、弱火で約2分焼き、中まで火を通します。
4 食べやすく切り、**1**の中に入れて1時間以上漬けます。詰めるときは、みそはこそげます。

大きいおかず

フライパン焼き豚

そのまま食べるのはもちろん、いためものやサラダ、スープと、いろいろ使えます

4～5日 日もち / 冷凍 / 子ども

材料（6単位分）
豚肩ロース肉（かたまり） — 500g

A
- ねぎの青い部分 — 10cm分
- しょうが — 1かけ（10g）
- セロリの葉やパセリの茎 — 1～2本
- しょうゆ — 大さじ3
- 酒 — 大さじ3
- みりん — 大さじ2
- はちみつ — 大さじ1

ごま油 — 大さじ1/2

作り方　●1単位分 245kcal

1 ねぎは包丁の腹でつぶし、しょうがは薄切りにします。肉は縦半分に切り、フォークで数か所穴をあけます。

2 ポリ袋にAと肉を入れ、よくもみこんでひと晩おきます。

3 フライパンにごま油を温め、肉の汁気をふいて入れます。中火で、全面にしっかりと焼き色をつけます（フライパンの汚れをふきながら焼くと、こげにくい）。

4 2の漬け汁を加え、煮立ったらアクをとります。ふたをずらしてのせ、時々転がしながら、弱火で約20分、火が通るまで煮ます（竹串を刺して透明な汁が出ればOK）。ふたをとって火を強め、肉に汁をからめます。

※かたまりのまま保存し、食べるときに切ります。冷凍するときは、切ってから冷凍します。

調理時間 30min（漬ける時間は除く）

! Good idea おいしい弁当アイディア

焼き豚丼弁当
ごはんにキャベツ（せん切り）をのせ、肉をのせます。肉はフライパンで軽く両面を焼くと、よりおいしい。好みで紅しょうがを添えます

材料（4単位分）

とりもも肉 — 300g
　酒 — 小さじ1
　かたくり粉 — 大さじ1
れんこん — 200g
にんじん — 100g
ごま油 — 大さじ1

A ┃ 水 — 200ml
　┃ 砂糖 — 大さじ1
　┃ 酒 — 大さじ2
　┃ みりん — 大さじ1
　┃ しょうゆ — 大さじ2

調理時間 30min

作り方　●1単位分 248kcal

1 れんこん、にんじんはひと口大の乱切りにします。

2 とり肉はひと口大のそぎ切りにし、酒をふってもみこみます。かたくり粉をまぶします。

3 鍋にごま油を温めてとり肉を入れ、中火でいためます。焼き色がついたら、**1**を加えていためます。

4 全体に油がまわったら、Aを加えます。沸とうしたらアクをとり、ふたをずらしてのせ、弱火で煮汁が少し残るくらいまで約20分煮ます。

とり肉と根菜の煮もの

ほっこりする和のおかず。煮返すほどに味がしみて、おいしくなります（三笠）

3日日もち　冷凍　子ども

かじきのピリ辛漬け

コチュジャンを使ったマイルドな辛味で、魚くささが気になりません（三笠）

3〜4日 日もち / 冷凍

材料（4単位分）
かじき — 3切れ（240g）
A [塩 — 少々
　　酒 — 大さじ1]
小麦粉 — 大さじ1½
サラダ油 — 大さじ2
B [赤とうがらし — 1本
　　砂糖 — 大さじ½
　　コチュジャン — 大さじ1
　　酒 — 大さじ2
　　しょうゆ — 大さじ1
　　水 — 大さじ3]
C [酢 — 大さじ1½
　　いりごま（白）— 大さじ½]

作り方　●1単位分 138kcal

1 かじきは1切れを3つに切り、Aをふって約10分おきます。赤とうがらしは種をとって小口切りにします。

2 小鍋にBを合わせて中火にかけ、砂糖が溶けたら火を止め、Cを加えます。

3 かじきの水気をふきとり、小麦粉をまぶします。

4 フライパンに油を中火で温め、かじきを入れて1〜2分焼きます。裏返して、ふたをして約2分焼きます。熱いうちに2に漬けます。

調理時間 20min

大きいおかず

きんぴら ✳︎✳︎

日もちがして、ごはんのおかずにもなるきんぴらは、お弁当の定番おかずです（三笠）

ごぼうのきんぴら

覚えておきたい定番の味。
れんこんやだいこんでも作れます

3〜4日 日もち / 冷凍

材料（4単位分）
ごぼう — 150g
ごま油 — 大さじ1
A ［砂糖 — 大さじ½
　　みりん — 大さじ1
　　しょうゆ — 大さじ1
　　だし — 大さじ2］
七味とうがらし — 少々

作り方 ●1単位分 69kcal
1 ごぼうは皮をこそげ、ささがきにします。水に約1分つけ、水気をよくきります。
2 フライパンにごま油を温め、ごぼうを強火で約2分いためます。Aを合わせて加え、汁気がなくなるまでいためます。火を止めて、七味とうがらしをふってひと混ぜします。

※お弁当に詰めるときに、ごま少々をひねってのせます
※子どもには、七味とうがらしはなしでも

調理時間 15min

ピーマンのきんぴら

塩・こしょうで、
ひと味変えた塩きんぴらです

3日 日もち / 子ども

材料（4単位分）
ピーマン — 4個（150g）
サラダ油 — 大さじ1
A ［酒 — 大さじ1
　　塩 — 小さじ⅛］
黒こしょう — 少々

作り方 ●1単位分 38kcal
1 ピーマンは縦半分に切り、種をとります。横1cm幅に切ります。
2 フライパンに油を温め、ピーマンを入れます。全体に油がまわったらAを加えます。汁気がなくなったら、黒こしょうをふって火を止めます。

調理時間 5min

さつまいものきんぴら

さつまいもの甘みと
しょうゆがよく合います

3〜4日 日もち / 冷凍 / 子ども

材料（4単位分）
さつまいも — 200g
サラダ油 — 大さじ2
A ［しょうゆ — 大さじ½
　　みりん — 大さじ1
　　酒 — 大さじ2］
いりごま（白） — 大さじ½

作り方 ●1単位分 139kcal
1 さつまいもは皮つきのまま、4cm長さ、7〜8mm角の棒状に切ります。水にさっとさらし、水気をきります。
2 フライパンに油を温め、さつまいもを強火でいためます。油がまわったらAを加え、ふたをして弱火で2〜3分煮ます。
3 ふたをとって火を強め、汁気をとばします。ごまをふります。

調理時間 10min

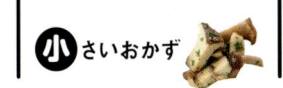

マリネ ✻✻

野菜はマリネなど、保存がきくように調理しておくと、すぐに使えて便利です（柏教室　真部京子）

小 さいおかず

キャベツのマリネ

りんごの甘みがかくし味です

3日 日もち / 子ども

材料（4単位分）
キャベツ — 150g
　塩 — 小さじ1/6
りんご — 50g
A［酢 — 大さじ1 1/2
　白ワイン — 大さじ1/2
　塩 — 少々
　砂糖 — 小さじ1/4
　サラダ油 — 大さじ1 1/2］

作り方　●1単位分 54kcal
1 キャベツはせん切りにします。塩をふってもみ、10分おきます。水気をしぼります。
2 りんごは皮つきのまま、細い棒状に切ります。
3 Aを合わせ、1と2をあえます。

15min 調理時間

にんじんのマリネ

ナッツの食感がよいアクセント。にんじん嫌いの子でも食べられそう

5日 日もち / 冷凍 / 子ども

材料（4単位分）
にんじん — 150g
　塩 — 小さじ1/8
ピーナッツ — 15g
A［酢 — 大さじ1 1/2
　塩 — 小さじ1/6
　砂糖 — 小さじ1/2
　こしょう — 少々
　サラダ油 — 大さじ2］

作り方　●1単位分 79kcal
1 にんじんは縦半分に切って斜め薄切りにします。塩をふって10分おき、軽く水気をしぼります。ピーナッツはあらくきざみます。
2 Aを合わせ、1をあえます。

15min 調理時間

きのこのマリネ

きのこならなんでも。数種類組み合わせるほうがおいしくなります

5日 日もち / 冷凍 / 子ども

材料（4単位分）
しめじ — 1パック（100g）
エリンギ — 1パック（100g）
パセリ（みじん切り） — 大さじ2
A［酢 — 大さじ1 1/2
　しょうゆ — 大さじ1/2
　塩・こしょう — 各少々
　オリーブ油 — 大さじ1 1/2］

作り方　●1単位分 46kcal
1 Aは合わせます。
2 しめじは小房に分けます。エリンギはひと口大に切ります。鍋に湯をわかし、きのこを入れます。再び沸とうしたら約30秒ゆでて、ざるにとります。
3 きのこが熱いうちに1に漬けます。あら熱がとれたらパセリを混ぜます。

10min 調理時間

61

ナムル ＊＊

焼き肉のたれでいためた肉と一緒にごはんにのせれば、あっという間にビビンバ弁当ができます。野菜を変えて、いろいろ作っておきます（札幌教室　松野富久美）

ほうれんそうのナムル

おひたしを作るときなどに、まとめてゆでて作っておくのがおすすめ

3日 日もち　冷凍　子ども

材料（4単位分）
ほうれんそう — 100g
にんじん（3〜4cm長さ）— 20g
A ┌ すりごま（白）— 大さじ1
　├ 塩 — 小さじ1/8
　└ ごま油 — 小さじ1

作り方　●1単位分 22kcal
1 にんじんは薄切りにして、さっとゆでます。
2 同じ湯でほうれんそうをかためにゆでて水にとります。水気をしぼって3cm長さに切り、再び水気をしぼります。
3 Aを合わせ、1と2をあえます。

調理時間 10min

もやしのナムル

ひと味変えてコチュジャン味で。しっかり水気をしぼってからあえます

3日 日もち　子ども

材料（4単位分）
もやし — 1/2袋（100g）
ねぎ（小口切り）— 2cm
A ┌ すりごま（白）— 小さじ1
　├ コチュジャン — 小さじ1/4
　└ ごま油 — 小さじ1/4

作り方　●1単位分 9kcal
1 鍋にもやしとねぎ、塩少々と水大さじ2（材料外）を入れ、ふたをして中火にかけます。沸とうしたら弱火にし、2分ほど蒸し煮にします（途中で1回混ぜます）。あら熱がとれたら水気をしぼります。
2 ボールにAを合わせ、1の水気を再びしぼって加え、あえます。

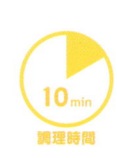

調理時間 10min

ズッキーニのナムル

意外にもわかめがよく合います

3日 日もち　冷凍　子ども

材料（4単位分）
ズッキーニ — 小1本（150g）
　塩 — 小さじ1/6
カットわかめ — 大さじ1
A ┌ すりごま（白）— 大さじ1/2
　├ しょうゆ — 小さじ1/4
　└ ごま油 — 大さじ1/2

作り方　●1単位分 24kcal
1 ズッキーニは縦半分に切り、1〜2mm厚さの薄切りにします。塩をふってもみ、わかめをくだいて混ぜます。皿などで軽く重しをして、約10分おきます。水気をしぼります。
2 ボールにAを合わせ、1をあえます。

調理時間 15min

小さいおかず

そのほか ＊＊

栄養たっぷり、さっぱりヘルシーなおかずです。濃いめの味つけが多くなりがちな弁当に、1品あると栄養と味のバランスがよくなります（浜村）

切り干しだいこんのサラダ

食べやすいマヨネーズ味。
子どもにはわさびはなしでも

4〜5日 日もち / 冷凍

材料（4単位分）
切り干しだいこん — 15g
枝豆（さやつき・冷凍）— 50g
かに風味かまぼこ — 2本（15g）
A ┃ マヨネーズ — 大さじ1/2
  ┃ しょうゆ — 小さじ1
  ┃ 練りわさび — 小さじ1/8

作り方 ●1単位分 39kcal
1 切り干しだいこんは熱湯200ml（材料外）に約5分つけます。水気をしぼり、ざく切りにします。かにかまはあらくほぐします。枝豆は解凍してさやから出します。
2 Aを合わせ、材料全部をあえます。

調理時間 10min

ひじきサラダ

洋食にも合うさっぱり味

4〜5日 日もち / 冷凍 / 子ども

材料（4単位分）
芽ひじき — 10g
セロリ — 25g
ラディッシュ — 1〜2個
A ┃ 酢 — 大さじ1/2
  ┃ 砂糖 — 小さじ1/2
  ┃ しょうゆ — 小さじ1/2
  ┃ 塩 — 少々
  ┃ オリーブ油 — 大さじ1/2

作り方 ●1単位分 23kcal
1 ひじきはたっぷりの水に10〜15分つけてもどします。水気をきります。
2 セロリ、ラディッシュは薄切りにします。塩少々（材料外）をふり、しんなりしたらしぼります。Aは合わせます。
3 ひじきはさっとゆでて水気をきります。野菜とともにAであえます。

調理時間 10min（もどす時間は除く）

れんこんの煮なます

しみじみおいしい、
さめてもおいしい定番おかずです

4〜5日 日もち / 冷凍 / 子ども

材料（4単位分）
れんこん — 150g
にんじん（3cm長さ）— 30g
干ししいたけ — 2個
A ┃ 酢 — 大さじ1 1/2
  ┃ みりん — 大さじ1 1/2
  ┃ しいたけのもどし汁 — 大さじ2
  ┃ しょうゆ — 小さじ1
  ┃ 塩 — 少々
いりごま（白）— 小さじ1

作り方 ●1単位分 44kcal
1 干ししいたけは水50ml（材料外）でもどします。
2 れんこんは皮をむき、薄い輪切りか、半月切りにします。酢水（水200mlに酢小さじ1/2）にさらして水気をきります。にんじんは5mm幅の短冊切り、しいたけは薄切りにします。
3 鍋にAを合わせて2を入れ、強火で5〜6分、汁気がなくなるまで混ぜながら煮ます。ごまをふります。

調理時間 15min（もどす時間は除く）

いろいろ野菜

野菜は下の材料に限らず、冷蔵庫にあるものでOK。
どれも日もちするので、たっぷり作りましょう

いろいろ野菜の ピクルス

味つけが濃くなりがちなお弁当おかずの口直しにぴったり。電子レンジで作れます

日もち 1週間 / 子ども

材料（作りやすい分量）
野菜合わせて250g
- きゅうり — 1本（100g）
- かぶ — 1個（100g）
- パプリカ（黄） — 1/3個（50g）
- A
  - 砂糖 — 大さじ2 1/2　塩 — 小さじ 2/3
  - 酢 — 70ml　水 — 100ml
  - 粒こしょう — 10粒　ローリエ — 1枚
  - 赤とうがらし（種をとる） — 1本

作り方 ●全量 74kcal
1 野菜はひと口大に切ります。
2 大きめの耐熱容器にAを合わせ、野菜を加えます。落としぶたのように密着させてラップをかけ、電子レンジで約3分加熱します。あら熱がとれたら、冷蔵庫で保存します。

※1時間後くらいから食べられます

調理時間 10min（漬ける時間は除く）

いろいろ野菜の カポナータ

レモンの酸味がさっぱりおいしく、パンによく合います

日もち 3～4日 / 冷凍 / 子ども

材料（作りやすい分量）
野菜合わせて250g
- ズッキーニ — 小1本（100g）
- たまねぎ — 1/3個（70g）
- パプリカ（赤） — 1/3個（50g）
- セロリ — 1/3本（30g）
- オリーブ油 — 大さじ1
- 白ワイン — 大さじ2
- A
  - 砂糖 — 小さじ1/2
  - 塩 — 小さじ1/4　こしょう — 少々
  - レモン汁（または酢） — 小さじ2

作り方 ●全量 186kcal
1 野菜は1～1.5cm角に切ります。
2 鍋にオリーブ油を温め、野菜を加えて1～2分いためます。ワインを加え、ふたをして弱火で約5分煮ます。Aを加え、ひと煮立ちしたら火を止めます。

調理時間 15min

いろいろ野菜の
みそ漬け

冷蔵庫の残り野菜をどんどん漬けてしまいます

3～4日 日もち / 子ども

材料（作りやすい分量）
野菜合わせて200g
- かぶ ― 1個（100g）
- きゅうり ― 1/2本（50g）
- にんじん ― 50g
- A [みそ ― 50g / みりん ― 大さじ1]

作り方 ●全量 84kcal
1 野菜は水気をふき、食べやすく切ります。
2 厚手のポリ袋にAを合わせ、1を入れます。もんでなじませ、2時間以上漬けます。

※翌日から多少水気が出てきますが、問題ありません。時間がたつほどに味が濃くなるので、長時間おくときは、野菜を大きめに切ります

5min 調理時間（漬ける時間は除く）

いろいろ野菜の
中華風ピリ辛漬け

子どもには、赤とうがらしはなしでも

3～4日 日もち

材料（作りやすい分量）
野菜合わせて200g
- だいこん ― 100g
- きゅうり ― 1/2本（50g）
- にんじん ― 30g
- セロリ ― 20g
- しょうが（せん切り） ― 1かけ（10g）　塩 ― 小さじ1/3
- A [赤とうがらし（小口切り） ― 1本 / 酢 ― 大さじ1　しょうゆ ― 大さじ1/2 / 砂糖 ― 小さじ1　塩 ― 小さじ1/6 / ごま油 ― 小さじ1]

作り方 ●全量 76kcal
1 だいこん、きゅうりは2～3cm長さの棒状に切ります。セロリ、にんじんはやや細めの棒状に切ります。
2 ボールに1としょうがを入れ、塩小さじ1/3をふってよくもみます。皿2～3枚分の重しをのせ、約10分おきます。水気をしぼってボールにもどします。
3 鍋にAを合わせ、ひと煮立ちさせます。熱いうちに2に加えて混ぜます。

※すぐに食べられますが、30分以上おくと、味がなじんでよりおいしい

15min 調理時間（漬ける時間は除く）

小 さいおかず

煮卵

3日 日もち → 子ども

まとめて作るとかんたんで、漬け汁の味を変えると飽きません。
おかずがものたりない…そんなときの強い味方です（名古屋教室　小関彰子）

5min 調理時間（漬ける時間は除く）

しょうゆ味

材料（4個分） ●1個 85kcal
かたゆで卵 — 4個
A [しょうゆ — 大さじ3
みりん — 大さじ3
酒 — 大さじ3
酢 — 大さじ1
水 — 75ml]

カレー味

材料（4個分） ●1個 79kcal
かたゆで卵 — 4個
A [しょうゆ — 大さじ1
砂糖 — 小さじ1
カレー粉 — 小さじ2
塩 — 小さじ1/4
水 — 200ml]

ソース味

材料（4個分） ●1個 80kcal
かたゆで卵 — 4個
A [ウスターソース — 大さじ3
酒 — 大さじ3
水 — 100ml]

作り方
鍋にAを合わせ、ひと煮立ちしたら火を止めます。ゆで卵を入れ、煮汁に漬けたままさまします。さめたら、ポリ袋に移しかえて空気を抜き、2時間以上漬けます。

※Aの漬け汁を半量にして、うずら卵10個で作っても。お弁当のすき間うめに重宝します（銀座教室　佐藤順子）

かたゆで卵の作り方

1 鍋に卵を入れ、かぶるくらいの水を入れて強火にかけます。沸とうするまで、箸で転がしながらゆでます。

2 沸とう後、火を弱め、3分ゆでてから火を止めます。ふたをして10分おきます。水にとって殻をむきます。

お弁当の 小 ワザ

煮卵をフォークで細かくつぶしてごはんにのせると、いり卵の代わりになります。マヨネーズであえてサンドイッチの具にしても（三笠）

作りおきおかず を お弁当で持っていくときは

step 1 おかずは温め直すと、よりおいしくなります

弱火でじっくりと、中心部まで温め直します

汁気の少ないおかずは、酒か水を少量加えると、ふっくらしあがります

おかずが少量のときは、電子レンジでもOK

step 2 ごはんもおかずもさめてから詰めます

ごはんが完全にさめてから、さましたおかずを詰めます

汁気のあるおかずは、ペーパータオルにのせて汁気をきってから詰めます

とり箸は使いまわさずに、つねに清潔な状態で使います

冷凍保存 していたおかず

凍ったままの状態で詰めてもよいですが、
肉や魚のおかずは、温め直して詰めたほうが、おいしくなります

揚げものはラップなしで電子レンジで。ペーパータオルを敷くと、余分な油脂を吸いとってくれます

焼き豚などは、フライパンで弱火で。たれをからめると、照りが出てよりおいしそうに

お弁当の 小ワザ

ごはんを冷凍保存するときは、使う弁当箱に合わせた量に小分けしておくと使いやすい。弁当箱にラップを敷いて詰めて、めやすをつけます

（渋谷教室　要石知子）

ベースのおかずを まとめて作って

かんたん アレンジ！ ▶▶▶

材料（20個分）
- 合びき肉 — 300g
- たまねぎ — 1個（200g）
- A
  - パン粉 — 大さじ8（25g）
  - 牛乳 — 大さじ2
  - 卵 — 1個
  - 塩 — 小さじ1/3
  - こしょう・ナツメグ — 各少々
- サラダ油 — 小さじ4
- 小麦粉 — 大さじ2

作り方　●1個 57kcal

1 たまねぎはみじん切りにします。器に入れて油小さじ2を混ぜ、ラップをして電子レンジで約2分加熱します。とり出して混ぜ、さらに約1分加熱してさまします。

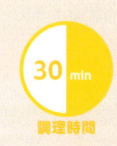

2 合びき肉にAと**1**をよく混ぜ、20等分します。厚さ1cmくらいの平たい丸形にし、小麦粉を薄くまぶします。

3 フライパンに油小さじ1を温め、**2**の半量を中火で約1分焼きます。裏返して弱火にし、ふたをして3～4分焼き、中まで火を通します。残りも同様に焼きます。

調理時間 30min

ベースのおかず
やわらかミートボール

たまねぎたっぷりで、さめてもやわらか。丸めるのが手間なら、小さめのフライパンで大きく焼いて、切り分けても （浜村）

日もち 3日 / 冷凍 / 子ども

アレンジ！ ミートボールの ピザ焼き

ピザ用ソースを使って濃厚な味わい

子ども

材料（1単位分）
- ミートボール ― 3個
- エリンギ ― 小1本
- ピーマン ― 1/2個
- ピザ用ソース* ― 大さじ1/2
- スライスチーズ ― 1/2枚

＊トマトケチャップ大さじ1/2＋塩・こしょう各少々でも

調理時間 10min／5min

作り方　●216kcal

1. エリンギ、ピーマンは小さめに食べやすく切ります。ミートボールにソースをからめます。
2. 大きめのアルミカップに**1**を入れます。チーズをちぎってのせます。
3. オーブントースターで約5分、チーズが溶けるまで焼きます。

! Good idea　おいしい弁当アイディア

ミートボールの中にゆでたブロッコリーやうずら卵などを入れても。そのままお弁当に入れると食べてびっくり、切って入れると彩りがきれい

アレンジ！ ミートボールの カレーいため

子どもが喜ぶ、食欲そそるカレー味です

子ども

材料（1単位分）
- ミートボール ― 3個
- じゃがいも ― 小1/2個（50g）
- さやいんげん ― 3本（20g）
- サラダ油 ― 小さじ1
- 塩・こしょう ― 各少々
- A ┃ カレー粉 ― 小さじ1/4
  ┃ 牛乳 ― 大さじ1

調理時間 10min／5min

作り方　●257kcal

1. じゃがいもは皮をむいてひと口大に、いんげんは3〜4cm長さに切ります。ラップをして電子レンジで約1分30秒加熱します。
2. フライパンに油を温めて**1**を軽くいため、塩、こしょうをふります。ミートボールとAを加え、汁気がなくなるまでからめるようにしていためます。

ベースのおかず
ふんわり豚こまから揚げ

肉を丸めて、かたまり肉風に。味がしっかりしみこんで、さめてもふっくらジューシーなしあがりです（三笠）

3日 日もち / 冷凍 / 子ども

材料（20個分）
豚こま切れ肉 — 400g
しょうが汁 — 大さじ1
A [しょうゆ — 大さじ1½
　　みりん — 大さじ1½
　　酒 — 大さじ1½]
かたくり粉 — 大さじ3〜4
揚げ油 — 適量

作り方　●1個 65kcal

1 ボールに豚肉、しょうが汁、Aを入れてよく混ぜ、10〜15分おきます。
2 20等分にして丸め、それぞれかたくり粉をつけます。
3 深めのフライパンに3cm深さまで揚げ油を入れます。中温（170℃）で2〜3分、時々返しながら揚げます（3回くらいに分けて揚げます）。

20min 調理時間（漬ける時間は除く）

アレンジ！ 豚こまから揚げの酢豚風いため

子どもの好きなケチャップ味で、野菜たっぷり

子ども

材料（1単位分）
豚こまから揚げ — 3個
たまねぎ — 1/4個
ピーマン — 1個
しいたけ — 1個
サラダ油 — 大さじ1/2
A ┌ 砂糖 — 大さじ1/2
　│ 酢 — 大さじ1/2
　│ しょうゆ — 大さじ1/2
　│ トマトケチャップ — 大さじ1 1/2
　└ 水 — 大さじ2

調理時間 10min（5min）

作り方　●333kcal

1 たまねぎは1.5cm幅に、ピーマンはひと口大に切ります。しいたけは軸をとり、半分のそぎ切りにします。

2 Aは合わせます。

3 フライパンに油を温め、1を入れて中火でいためます。しんなりしてきたら、から揚げを加えてさっといため、Aを加えます。汁気がなくなったら、火を止めます。

アレンジ！ 豚こまから揚げの南蛮漬け

お肉がよりいっそうやわらかくなり、さめてもおいしいさっぱり味

子ども

材料（1単位分）
豚こまから揚げ — 3個
A ┌ 砂糖 — 大さじ1/2
　│ しょうゆ — 大さじ1/2
　│ 水 — 大さじ1/2
　└ 赤とうがらし — 1/3本
酢 — 大さじ1/2

調理時間 5min（漬ける時間は除く）

作り方　●215kcal

1 から揚げは皿にのせ、ラップなしで電子レンジで約1分温めます。

2 Aを器に合わせ、電子レンジで約30秒加熱します。酢を加え、1を10分以上漬けます（途中で上下を返します。ひと晩漬けても）。

作っておくと、便利な万能だれ

どんな料理にも使えるたれがあると、
すぐに使えて味が決まって便利です（札幌教室　中島尊子）

みそだれ

日もち 1か月　子ども

材料（できあがり量約150ml）
みそ — 100g
砂糖 — 大さじ2～2½
酒 — 大さじ1
みりん — 大さじ1½
水 — 大さじ2

作り方　●全量 311kcal
1 材料全部を鍋に合わせ、中火にかけます。
2 鍋のまわりがふつふつしてきたら弱火にして、1～2分煮て火を止めます。

保存：密閉できる清潔なびんに入れ、冷蔵で約1か月

バーベキューだれ

日もち 1か月　子ども

材料（できあがり量約150ml）
たまねぎ — 30g
トマトケチャップ — 大さじ3
しょうゆ — 大さじ2
赤ワイン — 大さじ1
ウスターソース — 大さじ1
砂糖 — 小さじ2
塩・こしょう — 各少々

作り方　●全量 136kcal
1 たまねぎはすりおろします。
2 材料全部を鍋に合わせ、煮立てます。ごく弱火にし、混ぜながら30～40秒沸とうの状態を続けて火を止めます。

調理時間 5min

万能だれを使ったアレンジ料理

みそだれとバーベキューだれ、
どちらでも作れます。

アレンジ! トースターで焼く
前の晩から肉をたれに
漬けておくと、よりおいしくなります

子ども

材料（1単位分）
牛肉（焼き肉用）— 2枚（40g）
万能だれ — 大さじ1/2
ピーマン — 1/2個
しいたけ — 2個

調理時間 10min

作り方 ●107kcal（みそだれ）
1肉にたれをまぶします。ピーマンは種をとって半分に、しいたけは軸をとります。
2アルミホイルに並べて、オーブントースターで約5分、色よく焼きます。野菜に塩少々（材料外）をふります。

アレンジ! フライパンでいためる
野菜に塩をふって水気をしぼると、
時間がたっても水分が出にくくなります

子ども

材料（1単位分）
豚もも肉（薄切り）— 50g
キャベツ — 30g　　にんじん — 10g
万能だれ — 大さじ1　　サラダ油 — 小さじ1/2

調理時間 10min

作り方 ●151kcal（みそだれ）
1キャベツはざく切りに、にんじんは半月切りかいちょう切りにします。塩少々（材料外）をふってもみ、少しおきます。
2肉は食べやすく切ります。
3フライパンに油を温め、肉をいためます。色が変わったらたれを加え、からめます。**1**の水気をしぼって加え、ひと混ぜして火を止めます。

アレンジ! ゆで野菜にかける
野菜はじゃがいも、
ブロッコリーなど好みのもので

子ども

材料（1単位分）
にんじん — 20g
万能だれ — 小さじ1/2

調理時間 3min

作り方 ●12kcal（みそだれ）
1にんじんは1.5cm角に切ります。洗った水気のついたままラップに包み、電子レンジで約1分加熱します。
2たれをかけます。

あるとうれしい、甘めのおかず

濃い味つけが多くなりがちな、お弁当おかず。
甘めのおかずがちょこっとあると、箸休めにぴったり。

さつまいもとりんごの甘煮

紅玉で作るときは、レモン汁はなしでOK

3日 日もち / 冷凍 / 子ども

材料（3単位分）
さつまいも ― 小2本（200g）
りんご ― 1/2個（150g）
水 ― 200ml
砂糖 ― 大さじ1
レモン汁 ― 小さじ1

作り方 ●1単位分 119kcal
1 さつまいもは皮つきのまま2cm厚さの輪切りか半月切りにします。水にさらして、水気をきります。
2 りんごは芯と種を除き、皮つきのまま1cm厚さのいちょう切りにします。
3 鍋に材料全部を入れ、ふたをして中火で約10分煮ます。途中1～2回上下を返し、いもに火が通ったら、ふたをとって汁気をとばします。

調理時間 20min

にんじんのミルク煮

自然な甘みで、にんじん嫌いの子でも食べられそう

3日 日もち / 冷凍 / 子ども

材料（3単位分）
にんじん ― 1本（200g）
レーズン ― 15g
A [砂糖 ― 大さじ1/2
バター ― 10g
塩 ― 小さじ1/8
牛乳 ― 150ml]

作り方 ●1単位分 103kcal
1 にんじんは3cm長さに切り、縦4～6つ割りにします。
2 鍋に材料全部を入れて中火にかけます。沸とうしたら、ふたをずらしてのせ、弱火で15分ほど煮ます。ふたをとり、強火にして汁気をとばし、煮汁をとろりとさせます。

調理時間 20min

かぼちゃのいとこ煮

ゆであずきの甘みだけで、おいしく煮えます

3日 日もち / 冷凍 / 子ども

材料（3単位分）
かぼちゃ ― 200g
ゆであずき ― 小1/2缶（80g）
水 ― 100ml
塩 ― 小さじ1/8

作り方 ●1単位分 93kcal
1 かぼちゃは種とわたをとり、2～3cm角に切ります。
2 鍋にかぼちゃ、水、塩を入れ、強火にかけます。煮立ったら弱めの中火にして、落としぶたをして約5分煮ます。
3 かぼちゃがやわらかくなり、煮汁が少なくなったら、ゆであずきを加えて1～2分煮ます。

調理時間 10min

きんとき豆の甘煮

乾燥豆から煮てみよう!

煮豆はどんな場所にも詰められるので、すき間うめにぴったり。
市販の煮豆も便利ですが、自分で煮ると、
好みの甘さにできて、安あがりです（難波教室　岡田美春）

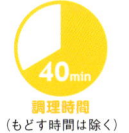

3日日もち / 冷凍 / 子ども

材料 (作りやすい分量)
- きんとき豆（乾燥）— カップ1（150g）
- 砂糖 — 80〜120g
- 塩 — 少々

調理時間 40min（もどす時間は除く）

作り方　●全量 807〜961kcal

1 豆は洗い、600mlの水（材料外）につけて、ひと晩おいてもどします。

2 つけた水ごと鍋に移して中火にかけます。沸とうしたらアクをとり、弱火にします。

3 落としぶた*をして鍋のふたをずらしてのせ、豆がやわらかくなるまで10〜15分ゆでます。

*クッキングシートに穴をあけて落としぶたにすると、豆がつぶれずにふっくら煮あがります

4 半量の砂糖を加えて5分煮て、残りの砂糖を加えてさらに5分煮ます（落としぶたのみ）。塩を加え、落としぶたをとって5〜10分煮て、汁気をとばします。そのままさまします。

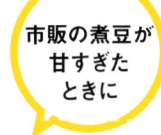

> ゆでた豆は冷凍できます。まとめてゆでて、サラダや煮こみ料理などに使っても

豆とさつまいもの甘煮

市販の煮豆が甘すぎたときに

3日日もち / 冷凍 / 子ども

調理時間 10min

作り方　●全量 473kcal

1 さつまいも中1本（150g）は皮つきのまま1.5cm厚さのいちょう切りにします。水にさらして、水気をきります。

2 鍋にいもと水200mlを入れ、ふたをして5分煮ます。

3 市販のきんとき豆の甘煮150gを汁ごと加え、ふたをして、いもがやわらかくなるまで3〜4分煮ます。

お弁当の小ワザ

煮豆や煮ものは多めに作り、ふたつきの製氷皿（100円ショップなどで購入）にラップを敷き、1回分ずつに小分けして冷凍しています（千葉教室　飯森恵美子）

これさえあれば、なんとかなる！❶
「ごはんの友」

朝ねぼうしても、材料がなくても、そぼろなど「ごはんの友」があれば、ひと安心。ごはんの間に平らに敷いたり、上にのせたり、混ぜたりと、使い方はいろいろ。ふだんのごはんにも役立ちます。

日もちするおかずなので、前もって作ってOK！

重ねておいしい
のり弁当 　子ども

のり弁はお弁当ならではの味。おかずにボリュームがなくても、おいしくて満足　（池袋教室　横山みち子）

○ 焼きのり

○ 塩ゆでさやいんげん

牛そぼろ
こってり味でボリュームあり

5日日もち／冷凍／子ども

材料（作りやすい分量）
牛ひき肉 — 150g
しょうが（みじん切り）
　　— 1かけ（10g）
砂糖 — 大さじ1½
しょうゆ — 大さじ1½
酒 — 大さじ1

作り方　●全量 407kcal
鍋に材料全部を入れ、よく混ぜます。中火にかけ、さい箸4〜5本でかき混ぜながら、パラッとほぐれて汁気がなくなるまでいります。
　　　　　　　　調理時間10分

自家製なめたけ
かんたん、なのにおいしい1品です

5日日もち／冷凍／子ども

材料（作りやすい分量）
えのきだけ — 1袋（100g）
A ┌ みりん — 大さじ1
　│ 酒 — 大さじ1
　│ しょうゆ — 大さじ1
　└ 赤とうがらし（種はとる）— 小1本

作り方　●全量 67kcal
えのきだけは根元を切り、長さを半分にしてほぐします。鍋にえのきだけとAを入れ、弱めの中火で3〜4分煮ます。　調理時間5分

‖‖‖‖ のり弁の作り方 ‖‖‖‖

1. ごはんを平らに詰め、そぼろなどの具を平らにのせます。

2. これをくり返します。

3. 最後にごはんを重ね、焼きのりをのせます。しょうゆ少々をつけてのせても。

のせておいしい
カラフルそぼろ弁当

ごはんにのせるだけ、のお手軽弁当。
彩りや味のバランスを考えて、
いろいろ組み合わせてみましょう（渋谷教室　有本眞弓）

塩ゆでさやえんどう

いり卵
甘めの味つけです

2日 日もち / 冷凍 / 子ども

材料（作りやすい分量）
卵 — 1個
A ┌ 砂糖 — 大さじ1/2
　├ みりん — 大さじ1/2
　└ 塩 — 少々

作り方 ●全量 117kcal
卵はとき、Aを混ぜます。フライパンに油少々（材料外）を温めて卵液を入れ、さい箸4～5本でかき混ぜながら、いり卵を作ります。
調理時間5分

えびそぼろ
味も見た目もさっぱり上品です

5日 日もち / 冷凍 / 子ども

材料（作りやすい分量）
むきえび — 150g
A ┌ 砂糖 — 大さじ2
　├ 酒 — 大さじ2
　└ 塩 — 小さじ1/4

作り方 ●全量 192kcal
えびはクッキングカッターにかけるか、包丁で細かくきざみます。鍋に入れ、Aを加えてよく混ぜます。鍋を中火にかけ、さい箸4～5本でかき混ぜながら、パラッとほぐれるまでいります。
調理時間10分

しいたけの甘煮
ごはんはもちろん、そうめんやうどんにも

5日 日もち / 冷凍 / 子ども

材料（作りやすい分量）
干ししいたけ
　— 小8個（20g）
A ┌ 砂糖 — 大さじ1
　├ みりん — 大さじ1
　└ しょうゆ — 大さじ1

作り方 ●全量 104kcal
干ししいたけは水100mlでもどします。もどし汁に水を加えて150mlにし、鍋に入れます。Aを加え、汁気がなくなるまで煮ます。詰めるときに切ります。
（もどす時間は除く）調理時間10分

混ぜておいしい
3色おにぎり弁当

ごはんに混ぜたり、卵焼きに混ぜたり。
使い方はいろいろです （三笠）

青菜の塩そぼろ (p.79)

たらこそぼろ (p.78)

とりそぼろ入り卵焼き

とき卵2個にとりそぼろ(p.78) 大さじ2を混ぜて、卵焼きを作ります。
調理時間5分

ピリ辛ひじきそぼろ (p.79)

ごはんの友

たらこそぼろ

辛子めんたいこで作ってもおいしい

5日 日もち / 冷凍 / 子ども / 5min 調理時間

材料（作りやすい分量）
たらこ ― 1腹（80g）
酒 ― 大さじ1

作り方 ●全量 115kcal
たらこは中身をとり出し、酒を混ぜます。器に入れ、ラップをして電子レンジで約1分30秒加熱します。とり出してよく混ぜ、さらに30秒～1分加熱します。

じゃこ高菜そぼろ

卵と一緒にチャーハンにしてもおいしい

5日 日もち / 冷凍 / 子ども / 5min 調理時間

材料（作りやすい分量）
高菜漬け（きざんだもの）― 50g
ちりめんじゃこ ― カップ1/2（約30g）
ごま油 ― 小さじ1　　いりごま（白）― 大さじ1

作り方 ●全量 190kcal
フライパンにごま油を温めて高菜を入れ、軽くいためて汁気をとばします。じゃことごまを加え、ひと混ぜして火を止めます。

とりそぼろ

きれいに仕上げるコツは、火にかける前の「混ぜ」です

3～4日 日もち / 冷凍 / 子ども / 10min 調理時間

材料（作りやすい分量）
とりひき肉 ― 150g
しょうが（みじん切り）― 小1かけ（5g）
砂糖 ― 大さじ1　　みりん ― 大さじ1
しょうゆ ― 大さじ1

作り方 ●全量 325kcal
鍋に材料全部を入れて、さい箸4～5本で混ぜます。中火にかけ、汁気がなくなるまでいります。

油揚げそぼろ

甘辛の煮汁がジュワッとしみ出ます

3～4日 日もち / 冷凍 / 子ども / 10min 調理時間

材料（作りやすい分量）
油揚げ ― 2枚（50g）
A［だし ― 100ml　　砂糖 ― 小さじ1
　 みりん ― 大さじ1　　しょうゆ ― 大さじ1］

作り方 ●全量 221kcal
1 油揚げは、熱湯をかけて油ぬきし、水気をしぼって細かく切ります。
2 鍋にAと油揚げを入れて中火にかけ、混ぜながら中火で5～6分煮ます。強火にして、汁気をとばします。

ごはんの友

青菜のしょうゆそぼろ

おすすめはセロリの葉です

日もち 3〜4日 / 冷凍✗ / 子ども〇
調理時間 10min

材料（作りやすい分量）
青菜 — 100g　サラダ油 — 小さじ1
A〈しょうゆ・みりん — 各大さじ½　酒 — 大さじ1〉
けずりかつお — ½袋（3g）

作り方　●全量 85kcal
1 青菜はさっとゆで、水にとって水気をしぼります。みじん切りにして、さらに水気をしぼります。
2 鍋に油を温めて1をいため、Aを加えます。汁気がなくなったらけずりかつおを加えます。

青菜の甘辛みそ

おすすめはだいこん、かぶの葉です

日もち 5日 / 冷凍✗ / 子ども〇
調理時間 10min

材料（作りやすい分量）
青菜 — 100g　ごま油 — 大さじ½
A［砂糖 — 大さじ1　赤みそ — 大さじ1½
　　酒 — 大さじ1］

作り方　●全量 159kcal
1 青菜はさっとゆで、水にとって水気をしぼります。みじん切りにして、さらに水気をしぼります。
2 フライパンにごま油を温め、青菜をいためます。油がなじんだらAを加え、汁気がなくなるまで煮ます。

青菜の塩そぼろ

ほうれんそう、こまつながおすすめ

日もち 3日 / 冷凍✗ / 子ども〇
調理時間 10min

材料（作りやすい分量）
青菜 — 100g
しょうが（みじん切り） — 小1かけ（5g）
塩 — 小さじ¼

作り方　●全量 13kcal
1 青菜はさっとゆで、水にとって水気をしぼります。みじん切りにして、さらに水気をしぼります。
2 鍋に材料全部を入れて中火にかけ、さい箸4〜5本でかき混ぜながら、パラッとほぐれるまでいります。

ピリ辛ひじきそぼろ

いつものしょうゆ味とは、ひと味変えて

日もち 5日 / 冷凍✗
調理時間 5min（もどす時間は除く）

材料（作りやすい分量）
芽ひじき — 10g
A［しょうゆ — 大さじ1　酒 — 大さじ1
　　砂糖 — 小さじ½　豆板醤（トウバンジャン） — 小さじ⅛〜⅙］
ごま油 — 小さじ1　いりごま（白） — 大さじ1

作り方　●全量 110kcal
1 ひじきはたっぷりの水で約15分もどし、水気をきります。
2 鍋にごま油を温め、ひじきをいためてAを加え、汁気がなくなるまで混ぜながら煮ます。ごまを混ぜます。

79

これさえあれば、なんとかなる！❷
「具だくさん 混ぜごはん」

おにぎりにしてもよし、おかずがなくてもだいじょうぶ、
具だくさんの混ぜごはんです。
たっぷり4食分作って保存しておくと、いざというときに安心です

牛ごぼうの混ぜごはん

ごはんに混ぜても、そのまま食べてもおいしい。
子どもから大人まで、みんなが大好きな甘辛しょうゆ味

3日 日もち（ごはんに混ぜる前の状態で） / 冷凍 / 子ども

Good idea おいしい弁当アイディア

甘めのいり卵を一緒に混ぜると、よりおいしく、彩りもきれいになります。具を卵でとじて丼にしても
（銀座教室　坂本理恵）

材料（4単位分）
- 牛こま切れ肉 — 200g
- ごぼう — 80g
- まいたけ — 100g
- にんじん — 50g
- しょうが — 大1かけ（15g）
- A ┌ 砂糖 — 大さじ1
　　├ みりん — 大さじ1
　　└ 酒 — 大さじ2
- しょうゆ — 大さじ2½
- ごま油 — 大さじ1
- 温かいごはん — 600g

作り方　●1単位分 490kcal

調理時間 20min

1 ごぼうは皮をこそげ、縦半分にして斜め薄切りにし、水にさらして水気をきります。まいたけは小房に分けます。にんじん、しょうがはせん切りにします。

2 鍋にごま油を温め、ごぼう、にんじん、しょうがを入れ、中火で1～2分いためます。肉を加えてさらにいため、肉の色が変わったらまいたけを加えてさっといためます。Aを加え、混ぜながら煮ます。しょうゆを加え、汁気が少し残るくらいになったら、火を止めます。

3 温かいごはんに混ぜます。いりごま（白）少々（材料外）を散らします。

Q 混ぜごはんの保存方法は？

A ごはんに混ぜたものは、冷凍保存で（冷蔵保存だと、ごはんがかたくなっておいしくありません）。1食分ずつ小分けしておくと、便利です。

A 具のみ（ごはんに混ぜる前の状態）のときは、冷蔵保存でも冷凍保存でもOK。

さけの洋風混ぜごはん

ピラフ風の混ぜごはんです。さけは酒をふると、電子レンジで加熱しても生ぐささが気になりません　（三笠）

3日日もち（ごはんに混ぜる前の状態で）／冷凍／子ども／調理時間20min

材料（4単位分）
- さけ（甘塩） ― 2切れ（160g）
- 酒 ― 小さじ1
- たまねぎ ― 80g
- にんじん ― 50g
- さやいんげん ― 50g
- しいたけ ― 3個
- バター ― 20g
- A ┌ 水 ― 150ml
　　├ スープの素 ― 小さじ1
　　├ しょうゆ ― 小さじ1
　　└ 塩・こしょう ― 各少々
- 温かいごはん ― 600g

作り方　●1単位分 388kcal

1 さけに酒をふり、約10分おきます。水気をふいて皿にのせ、ラップをして電子レンジで約2分30秒加熱します。あら熱がとれたら、骨と皮を除き、身をほぐします。

2 たまねぎ、にんじんは7〜8mm角に、さやいんげんは2cm長さに切ります。しいたけは薄切りにします。

3 鍋にバターを温め、2をいためます。たまねぎがすき通ってきたら、Aを加えます。沸とうしたら弱火にし、ふたをして約5分煮ます。煮汁が少し残るくらいまで煮つめ、火を止めます。1を加えて混ぜます。

4 温かいごはんに混ぜます。

たまには、ひと手間かけて にぎやかイベント弁当

毎日のお弁当づくりは、時間との戦い。
家族のために、ひと手間かけて作りたいと思っても
なかなかできないのが現状です。
でも、お花見やピクニックなど、
家族そろってお出かけする特別な日のお弁当や、
子どもが楽しみにしている遠足の日のお弁当は、
いつもより手間ひまかけて、もちろん愛情もかけて、
眺めるだけでうれしくなるお弁当を作りましょう。
さめてもおいしいので、おもてなしにもどうぞ。

メニューを考えるときは

季節の食材や

食べる人の好みに合わせて

外で食べやすいように、盛りつけにも、ひとくふう

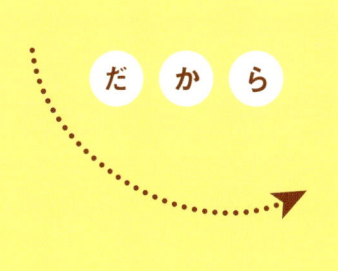

だから

みんな大喜び！
その笑顔がなによりうれしい

いつもの"アレ"を ひとくふう　ベスト3

1. 卵焼き
　味や彩りを考えて、中に入れる具をひとくふう

2. ウィンナーソーセージ
　飾り切りにして、かわいく華やかに

3. 味つけごはん
　混ぜごはんや炊きこみごはんにして、ちょっぴり豪華に

春 Spring

Event recipe ❶
お花見弁当

子ども

桜を眺めながらでも食べやすい、手でつまみやすいおかずをそろえました。
塩ぬきした桜の花の塩漬けを持っていき、お湯をそそいで桜湯にしたり、
お酒好きなら桜チューハイにするのもおすすめです（三笠）

春キャベツと桜の混ぜずし

甘酢漬けの具を混ぜる、お手軽混ぜずし。キャベツのシャキシャキした
食感と、じゃこと桜の塩気がクセになるおいしさです

材料（4人分）
春キャベツ* ― 150g
　塩 ― 小さじ2/3
桜の花（塩漬け）― 15g
ちりめんじゃこ ― 10g
いりごま（白）― 大さじ1
A ┃ 酢 ― 大さじ3
　　砂糖 ― 大さじ1 1/2
　　塩 ― 小さじ1/3
温かいごはん ― 450g
*ふつうのキャベツでも作れます

作り方 ●1人分 230kcal
1 キャベツは1cm角に切り、塩小さじ2/3をふって軽くもみます。約10分おき、水気をしぼります。桜の花は塩を洗い流し、水に5分つけて塩をぬきます。水気をしぼり、飾り用に少量とりおき、残りは細かくきざみます。ちりめんじゃこは熱湯をまわしかけ、水気をきります。
2 Aを合わせて1を加え、10分漬けます。
3 温かいごはんにごまと2を汁ごと混ぜます。好みの型でぬき（p.92、そのまま盛りつけてもOK）、桜の花を飾ります。

調理時間 **30分**

たけのこのから揚げ

かむと、たけのこのうま味が
ジュワッとしみ出します

材料（4人分）
ゆでたけのこ ― 200g
A ┃ 酒 ― 大さじ1　　しょうゆ ― 大さじ1
かたくり粉 ― 大さじ1　　揚げ油 ― 適量

作り方 ●1人分 64kcal
1 たけのこはひと口大に切り、Aに30分以上漬けます（時々上下を返します）。
2 たけのこの汁気をペーパータオルでふき、かたくり粉をまぶします。深めのフライパンに2〜3cm深さまで揚げ油を入れて中温（170℃）に熱し、カラリと揚げます。

（漬ける時間は除く）調理時間 **10分**

84

桜の花の塩漬け ➡ **桜湯**

+α
行楽のお伴に

とりむね肉の塩から揚げ

ついつい手がのびてしまう、さっぱり塩味のから揚げです

材料（4人分）
とりむね肉 — 2枚（400g）
A ┌ 塩 — 小さじ1
　└ 酒 — 大さじ1
かたくり粉 — 大さじ1
揚げ油 — 適量

作り方 ●1人分 250kcal
1 とり肉は身の厚い部分は切り開きます。Aをもみこんで5〜10分おきます。
2 とり肉にかたくり粉をまぶします。深めのフライパンに2〜3cm深さまで揚げ油を入れます。中温（170℃）に熱して肉を入れ、時々返しながら5分ほどかけて揚げます。最後は10秒ほど強火で揚げて、カラリとさせます。食べやすく切ります。

調理時間**20**分

菜の花のごまあえ

食べやすいように、1人分ずつカップに入れて

材料（4人分）
菜の花 — 1/2束（100g）
A ┌ すりごま（白） — 大さじ1 1/2
　│ しょうゆ — 小さじ1/2
　│ 酒 — 大さじ1/2
　└ 塩 — 少々

作り方 ●1人分 20kcal
1 菜の花は熱湯でゆで、水にとって水気をよくしぼります。3cm長さに切ります。
2 ボールにAを合わせます。
3 菜の花を加えてよく混ぜます。

調理時間**5**分

みつばの卵焼き

みつばとのりの風味がよく合う、見た目もかわいい卵焼きです

材料（4人分）
卵 — 3個
糸みつば — スポンジ2個（40g）
焼きのり（半分に切る） — 1枚
サラダ油 — 少々
A ┌ 砂糖 — 大さじ1/2
　│ みりん — 大さじ1/2
　│ だし — 大さじ2
　│ 塩 — 小さじ1/8
　└ しょうゆ — 少々

作り方 ●1人分 76kcal
1 みつばはラップに包み、電子レンジで約30秒加熱します。みじん切りにして水気をしぼります。
2 卵はときほぐし、Aを混ぜます。みつばをほぐして加え、混ぜます。
3 卵焼き器に油少々を温め、卵液の約1/3量を流し入れます。表面が乾いてきたら、のりをのせて巻きます。同じように、あと2回巻きます（最後はのりはなし）。さめたら、食べやすく切ります。

調理時間**15**分

秋 Autumn

Event recipe ❷
ピクニック弁当
子ども

食欲の秋にぴったり！ さけ、さつまいも、しいたけ、れんこん、ぎんなんと、秋の味覚がたっぷりの行楽弁当です。手でつまみやすいくだものを持っていってもよいでしょう

さつまいもの雑穀おこわ

もち米を混ぜると、さめてもかたくなりにくく、もっちりおいしい

材料（4人分）
米 ― 米用カップ1
もち米 ― 米用カップ1/2
雑穀ミックス（好みのもの） ― 大さじ2
水 ― 270ml（米用カップ1 1/2）
A ┌ 酒 ― 大さじ1　みりん ― 大さじ1
　└ 塩 ― 小さじ1/3
さつまいも ― 小1本（150g）

作り方　●1人分 275kcal
1 米は合わせてとぎ、水気をきります。雑穀ミックスと合わせて炊飯器に入れ、分量の水に30分以上つけます。
2 さつまいもは皮つきのまま1.5cm角に切り、水に約10分さらして水気をきります。
3 炊飯器にAを加えて軽く混ぜ、**2**をのせて、ふつうに炊きます。ごはんが炊きあがったら、全体を軽く混ぜます。

（米の浸水時間は除く）調理時間50分

+α 行楽のお伴に
ぶどう　いちご

ぎんなんの塩いため

塩と油のうま味が加わり、おつまみにもぴったり

材料（4人分）
ぎんなん（むいたもの） ― 12粒
サラダ油 ― 大さじ1　塩 ― 少々

作り方　●1人分 12kcal
1 フライパンに油を温め、ぎんなんをさい箸で転がしながら軽くいためます。
2 ペーパータオルにとり出し、塩をふります。食べやすくピックに刺します。

調理時間5分

かぶのさっぱり漬け

茎を残すと、見た目が華やかに

材料（4人分）
かぶ — 小1個（80g）
塩 — 小さじ1/6

作り方 ●1人分 4kcal

1. かぶは茎を1cmほど残し、葉は切り落とします。8等分のくし形に切って皮をむきます。
2. 塩をふってもみ、皿2枚分の重しをのせて、約10分おきます。水気をきります。

（漬ける時間は除く）調理時間5分

しいたけ＆れんこんつくね

秋らしい、みそ風味のつくねです

材料（4人分）
とりひき肉 — 150g
しいたけ — 4個
れんこん — 4cm
A ┃ ねぎ（みじん切り）— 10cm
　┃ しょうが（みじん切り）— 1かけ（10g）
　┃ とき卵 — 1/2個分
　┃ 酒 — 大さじ1
　┃ みそ — 大さじ1
かたくり粉 — 大さじ1
サラダ油 — 小さじ2
ししとうがらし — 4本

作り方 ●1人分 114kcal

1. しいたけは軸を切ります。れんこんは1cm厚さの輪切りにし、水にさらします。ししとうは縦に切りこみを入れます。
2. ボールにひき肉とAを入れ、ねばりが出るまでよく混ぜます。かたくり粉を加えて、さらに混ぜます。8等分します。
3. れんこんの水気をふきます。れんこん、しいたけに2を等分にのせ、形をととのえます。
4. フライパンに油小さじ1を温め、ししとうをさっといためて、とり出します。塩少々（材料外）をふります。
5. フライパンに油小さじ1をたし、3の肉の面を下にして入れ、弱めの中火で焼きます。焼き色がついたら裏返し、ふたをして弱火で4〜5分蒸し焼きにします。

調理時間30分

さけの漬け焼き ゆず風味

前の晩から漬け汁に漬けておくと、よりおいしい。
ぶり、たい、さわらで作っても

材料（4人分）
生さけ — 2切れ（160g）
A ┃ みりん — 大さじ1
　┃ 酒 — 大さじ1
　┃ しょうゆ — 大さじ1
　┃ ゆずのしぼり汁 — 1/2個分
ゆずの皮（みじん切り）— 適量
サラダ油 — 小さじ1

作り方 ●1人分 76kcal

1. さけはうろこと骨があればとり、半分に切ります。Aを合わせて、さけを10分以上漬けます。
2. フライパンに油を温め、さけの水気をふいて入れます。軽く焼き色がついたら裏返し、ふたをずらしてのせ、2〜3分、弱めの中火で焼きます。
3. 火を止めて、フライパンの汚れをふきとり、1の漬け汁を加えて中火にかけます。スプーンで汁をかけながら、煮からめます。あら熱がとれたら、ゆずの皮を散らします。

調理時間20分

遠足
Kids

Event recipe ❸
子どもわくわく弁当

子ども

見た目がかわいいのはもちろん、小さい子どもが喜んで食べるくふうがいっぱい。遠足など外で食べるときも、手でつまんでパクパク食べられます（浜村）

たこさんウィンナー

お弁当箱に入れやすく、1本のウィンナーソーセージから、たこが2つ作れる切り方です

材料（たこ2つ分）
ウィンナーソーセージ* ― 1本
きゅうり・のり・プリッツ（市販菓子） ― 各少々
*赤いものが、たこらしくしあがります

作り方 ●1つ分 24kcal
1 斜め半分に切ります。それぞれ、縦に切りこみを7本入れて、足を8本作ります。
2 フライパンでさっといためます（p.90）。
3 それぞれ、のりを竹串でうめこんで目を、プリッツを刺して口を作ります。きゅうり（輪切り）の中心をくりぬき、かぶせてはち巻きにします。

調理時間10分

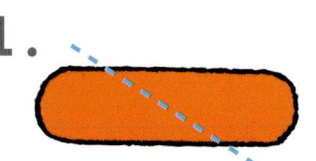

1.

「手でつまんで食べられてラクだね!!」

ミニから揚げ・カレー味
ひとロサイズのから揚げをピックに刺して、食べやすく

材料（子ども1人分）
とりもも肉 — 60g
A［塩・こしょう — 各少々
　カレー粉 — 小さじ1/4］
かたくり粉 — 大さじ1/2
揚げ油 — 適量

作り方 ●169kcal
1 とり肉は半分に切ります。Aをふってもみこみ、10分以上おきます。
2 1にかたくり粉をまぶします。小鍋に1.5cm深さまで揚げ油を入れます。中温（170℃）で3〜4分、時々返しながら揚げます。

調理時間15分

サラダスティック
野菜嫌いな子も、思わず食べてしまいます

材料（子ども1人分）
ハム* — 1/3枚
ミニトマト — 1個
きゅうり — 2cm
*スライスチーズでも

作り方 ●18kcal
ミニトマトをピックに刺します。きゅうりにハムを巻き、刺します。

調理時間5分

ラップおにぎり2種
ごはんは作りやすい分量です。お弁当に入れる量は、子どもに合わせて調整しましょう

● **青のりチーズ味** ●
材料（小1個分）
温かいごはん — 50g
青のり — 小さじ1/4
スライスチーズ — 適量

作り方 ●90kcal
1 ごはんに青のりを混ぜ、ラップで包んでにぎります。
2 チーズを好みの型でぬき、のせます。

● **オムライス味** ●
材料（小1個分）
温かいごはん — 50g
トマトケチャップ — 大さじ1/2
うずら卵（水煮） — 1/2個

作り方 ●102kcal
1 ごはんにトマトケチャップを混ぜ、ラップで包んで軽くにぎります。
2 うずら卵をうめこみ、形をととのえます。

調理時間5分

お弁当の小ワザ
デザートにプチゼリー（p.93）を凍らせて入れます。子どもも喜び、保冷剤代わりにもなります（大宮教室　国谷信代）

ラップでおにぎりを作って、そのままお弁当箱へ。ラップの端の余った部分は切ります

かんたん飾り切りで わくわくおかず

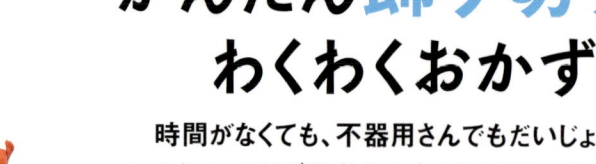

時間がなくても、不器用さんでもだいじょうぶ。
かんたん、だけど見栄えのする飾り切りばかりです。
いつものおかずが豪華に変身します！

お弁当の小ワザ
飾り切りした食材には、つまようじではなく、市販スナック菓子のプリッツを使うと、小さな子どもにも安心です（浜村）

ソーセージで

うさぎ
1 $\frac{1}{3}$ のところで斜めに切ります。 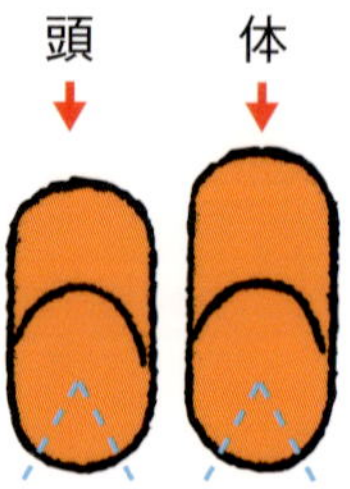
2 切り口をVの字に切り落とします。さっといため、頭と体をプリッツでとめ、のりで目を作ります。

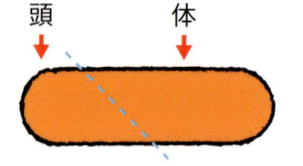

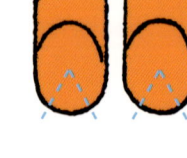

かに
1 縦半分に切ります。 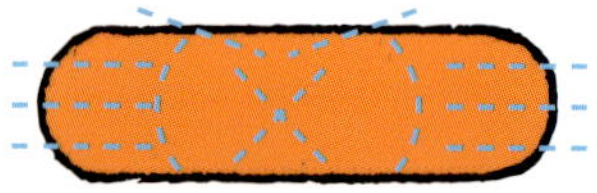
2 切りこみを入れ、さっといためます。プリッツで目を作ります。

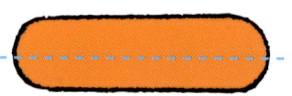

さかな
1 そぎ切りのように、少し斜めに切りこみを入れます（えら）。 
2 反対側の端をV字形に切り落とします（尾）。 
3 浅く切りこみを入れます（うろこ）。さっといため、のりで目を作ります。

お花
※フランクフルトなど、太めのソーセージがおすすめです  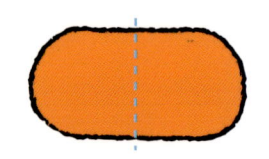
1 半分に切ります。 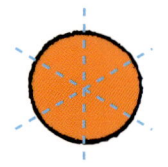
2 切り口を下にして置き、切りこみを入れます。
3 さっといため、まん中にコーン（枝豆でもOK）をのせます。

飾り切りをしたソーセージは…
フライパンに油少々を温め、弱火でいためます。飾り部分が開いて、きれいにしあがります。こげそうなときは、水少々をたして、ふたをして蒸し焼きにしても。
※加熱しすぎると、皮がはじけてしまうことがあります。

お弁当の小ワザ
ソーセージを1袋買ってきたら、まとめて切りこみを入れていためてから冷凍します。そのままお弁当に入れられて便利です（藤沢教室　田中啓子）

うずら卵で

うさぎ
卵は横にして、Vの字に切りこみを入れ、少しずらして耳を作ります。にんじんで目を作ります。

どんぐり
うずら卵をしょうゆ液に半日ほど漬けます（p.66）。すりごま（白）をつけます。

きのこ
ミニトマトを横半分に切り、種を除きます。うずら卵にのせて、2cm長さのプリッツでとめます。

くだもので

オレンジのうさぎ
くし形に切って、皮を半分くらいむきます(a)。図のように切りこみを入れ(b)、先端(c)を内側に折りこみます。

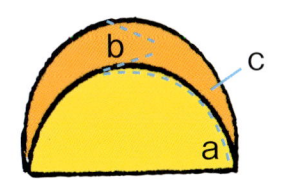

りんごのうさぎ
くし形に切って芯をとります。皮にVの字に浅く切りこみを入れ(a)、皮を半分くらいむきます(b)。

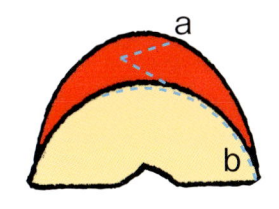

飾り切りは、小まわりのきくペティナイフやキッチンばさみで

目や口などの飾りは、食べられる食材で

- 黒　のり、いりごま（黒）
- 赤　にんじん、トマトの皮
- 緑　枝豆、グリンピース、パセリ
- 黄　コーン、卵

など

あると便利な お弁当グッズ

手早く、きれいに詰めるために役立ちます。
いろいろそろえると、お弁当づくりがさらに楽しくなります。

詰めやすく
カップ

電子レンジでの使用がOKで、くり返し使えるシリコンカップ、オーブントースターで使えるアルミカップ、余分な水分を吸収してくれる紙カップなどがあります。

詰めやすく
バラン

おかずの味が混ざらないようにしてくれます。かわいい色や柄のものを使うと、お弁当が華やかに。

食べやすく
ピック

箸で食べにくいものをピックに刺すと、手で持ってパクッと食べられます。かわいいピックに刺してあれば、子どもだけでなく大人もうれしいもの。

かわいらしく
押し型

型にごはんを詰めて押しぶたで押さえてとり出すと、かわいい形のおにぎりやおすしができます。

あると便利な お弁当用ミニ調理器具

少量のおかずを作るときは、調理器具もミニサイズを。作りやすく、かたづけやすく、光熱費も節約できます。フッ素樹脂加工のものがおすすめです。

卵1個用の
ミニ卵焼き器

ミニフライパン

あるとうれしい お弁当食材

毎日のお弁当にプラスして、よりおいしく、うれしいランチタイムを。

みそ汁＆スープ

この1杯で、ほっと気持ちがなごみます。おかずが少ないときにも。

みそ汁の素は手づくりできます（p.46自家製インスタントみそ汁）

プチデザート

ちょっとしたデザートがあると、やはりうれしいもの。お弁当のすき間があいたときにも便利。

ひと口チーズ

ドライあんず

ドライプルーン

プチゼリー

携帯用調味料

ソース類は、食べる直前にかけるほうがおいしいもの。あらかじめかけておくと、汁気が出て味が落ちてしまいます。

ミニボトルに入れて持っていっても

おかずが少ないときは、ふりかけが便利

お弁当の小ワザ

Q お弁当をうまく詰めるには？

A おかずは大→中→小の順で詰めていきます。最後のおかずは、あえものなど量や形が調整しやすいものにします。

見栄えUP！
おかずによっては、ごはんの上にのせても。見栄えがよくなります。

さくいん

豚肉

- 10 … 豚肉のソース焼き弁当
- 21 … 塩焼きそば弁当(豚こま切れ肉)
- 28 … 肉巻き(豚薄切り肉)
- 30 … 豚ヒレ肉のハーブパン粉焼き
- 56 … 肉のみそ漬け(豚ロース肉)
- 57 … フライパン焼き豚(豚肩ロース肉)
- 70 … ふんわり豚こまから揚げ
- 29 … スパムのピカタ
- 42 … スパムおにぎり
- 12 … ドライカレー弁当(ソーセージ)
- 19 … ポケットサンド(ソーセージ)
- 20 … ナポリタン弁当(ソーセージ)
- 33 … ソーセージロール
- 41 … ピザ風卵焼き(ソーセージ)
- 88 … たこさんウィンナー(ソーセージ)
- 15 … サラダずし弁当(ハム)
- 16 … フレンチトーストサンド(ハム)
- 35 … ミニロールキャベツ(ハム)
- 89 … サラダスティック(ハム)
- 13 … オムライス弁当(ベーコン)
- 35 … いんげんのベーコン巻き

とり肉

- 11 … 照り焼きチキン弁当(とりもも肉)
- 29 … とりささみのピカタ
- 30 … とり肉のハーブパン粉焼き(もも肉)
- 52 … とりの照り煮(もも肉)
- 58 … とり肉と根菜の煮もの(もも肉)
- 85 … とりむね肉の塩から揚げ
- 89 … ミニから揚げ・カレー味(とりもも肉)

牛肉

- 17 … 卵とコンビーフのホットサンド
- 42 … 肉巻きおにぎり(牛薄切り肉)
- 80 … 牛ごぼうの混ぜごはん(牛こま切れ肉)

ひき肉

- 31 … かんたんつくねの磯辺焼き(とりひき肉)
- 78 … とりそぼろ(とりひき肉)
- 87 … しいたけ&れんこんつくね(とりひき肉)
- 76 … 牛そぼろ(牛ひき肉)
- 68 … やわらかミートボール(合びき肉)

魚介類

あ

- 29 … むきえびのピカタ
- 54 … えびのマスタードマリネ
- 77 … えびそぼろ

か

- 30 … かじきのハーブパン粉焼き
- 59 … かじきのピリ辛漬け

さ

- 31 … さけの磯辺焼き
- 46 … さけのマヨネーズ焼き
- 81 … さけの洋風混ぜごはん
- 87 … さけの漬け焼き　ゆず風味
- 48 … 刺し身のごま照り焼き
- 14 … さんま缶の卵とじ弁当

た

- 78 … たらこそぼろ

野菜、くだもの

あ

- 34 … 青菜の塩こんぶあえ
- 79 … 青菜のしょうゆそぼろ
- 79 … 青菜の甘からみそ
- 79 … 青菜の塩そぼろ
- 34 … いためアスパラのチーズがけ
- 63 … 切り干しだいこんのサラダ(枝豆)
- 76 … 自家製なめたけ(えのきだけ)
- 54 … えびのマスタードマリネ(エリンギ)
- 61 … きのこのマリネ(エリンギ)
- 69 … ミートボールのピザ焼き(エリンギ)

か

- 41 … 半月卵焼き(かいわれだいこん)
- 39 … かぶのゆかりあえ
- 43 … かぶの葉とおかかのおにぎり
- 64 … ピクルス(かぶ)
- 65 … みそ漬け(かぶ)
- 87 … かぶのさっぱり漬け
- 37 … かぼちゃのシンプルソテー
- 37 … かぼちゃサラダ
- 74 … かぼちゃのいとこ煮
- 10 … 豚肉のソース焼き弁当(キャベツ)
- 21 … 塩焼きそば弁当(キャベツ)
- 35 … ミニロールキャベツ
- 61 … キャベツのマリネ
- 84 … 春キャベツと桜の混ぜずし
- 18 … カレーツナサンド(きゅうり)
- 64 … ピクルス(きゅうり)
- 65 … みそ漬け(きゅうり)
- 65 … 中華風ピリ辛漬け(きゅうり)
- 89 … サラダスティック(きゅうり)
- 86 … ぎんなんの塩いため
- 60 … ごぼうのきんぴら
- 80 … 牛ごぼうの混ぜごはん

さ

- 37 … さつまいものレンジ茶きん
- 60 … さつまいものきんぴら
- 74 … さつまいもとりんごの甘煮
- 75 … 豆とさつまいもの甘煮
- 86 … さつまいもの雑穀おこわ
- 35 … (さや)いんげんのベーコン巻き
- 49 … ひじきの卵巻きずし(さやいんげん)
- 69 … ミートボールのカレーいため(さやいんげん)
- 81 … さけの洋風混ぜごはん(さやいんげん)
- 19 … ポケットサンド(サラダ菜)
- 11 … 照り焼きチキン弁当(しいたけ)
- 38 … 焼きしいたけ
- 71 … 酢豚風いため(しいたけ)
- 81 … さけの洋風混ぜごはん(しいたけ)
- 87 … しいたけつくね
- 11 … 照り焼きチキン弁当(ししとうがらし)
- 87 … しいたけ&れんこんつくね(ししとうがらし)
- 28 … しそチーズの肉巻き
- 33 … ソーセージロール(しその葉)
- 20 … ナポリタン弁当(しめじ)
- 38 … しめじのぽん酢煮
- 61 … きのこのマリネ(しめじ)
- 19 … ポケットサンド(じゃがいも)
- 69 … ミートボールのカレーいため(じゃがいも)
- 62 … ズッキーニのナムル
- 64 … カポナータ(ズッキーニ)
- 15 … サラダずし弁当(セロリ)
- 17 … 卵とコンビーフのホットサンド(セロリ)
- 63 … ひじきサラダ(セロリ)
- 64 … カポナータ(セロリ)
- 65 … 中華風ピリ辛漬け(セロリ)

た

- 65 … 中華風ピリ辛漬け(だいこん)
- 84 … たけのこのから揚げ
- 10 … 豚肉のソース焼き弁当(たまねぎ)
- 12 … ドライカレー弁当(たまねぎ)
- 13 … オムライス弁当(たまねぎ)
- 18 … カレーツナサンド(たまねぎ)
- 20 … ナポリタン弁当(たまねぎ)
- 32 … ツナのピーマンカップ焼き(たまねぎ)
- 41 … ピザ風卵焼き(たまねぎ)
- 64 … カポナータ(たまねぎ)
- 68 … やわらかミートボール(たまねぎ)
- 71 … 酢豚風いため(たまねぎ)
- 72 … バーベキューだれ(たまねぎ)
- 81 … さけの洋風混ぜごはん(たまねぎ)
- 89 … サラダスティック(ミニトマト)

な

- 39 … 焼き長いも
- 38 … なすのスープ煮
- 85 … 菜の花のごまあえ
- 19 … ポケットサンド(にんじん)
- 21 … 塩焼きそば弁当(にんじん)
- 36 … にんじんのレンジグラッセ
- 36 … にんじんの塩いため
- 36 … にんじんのごまぽん酢あえ
- 58 … とり肉と根菜の煮もの(にんじん)
- 61 … にんじんのマリネ
- 62 … ほうれんそうのナムル(にんじん)
- 63 … れんこんの煮なます(にんじん)
- 65 … みそ漬け(にんじん)

94

65 … 中華風ピリ辛漬け(にんじん)
74 … にんじんのミルク煮
80 … 牛ごぼうの混ぜごはん(にんじん)
81 … さけの洋風混ぜごはん(にんじん)
14 … さんま缶の卵とじ弁当(ねぎ)
31 … かんたんつくねの磯辺焼き(ねぎ)
57 … フライパン焼き豚(ねぎ)
62 … もやしのナムル(ねぎ)
87 … しいたけ&れんこんつくね(ねぎ)
28 … (万能)ねぎの肉巻き
40 … じゃこと(万能)ねぎの卵焼き

は

29 … とりささみのピカタ(パセリ)
54 … パセリごはん
61 … きのこのマリネ(パセリ)
15 … サラダずし弁当(パプリカ)
54 … えびのマスタードマリネ(パプリカ)
64 … ピクルス(パプリカ)
64 … カポナータ(パプリカ)
10 … 豚肉のソース焼き弁当(ピーマン)
12 … ドライカレー弁当(ピーマン)
20 … ナポリタン弁当(ピーマン)
32 … ツナのピーマンカップ焼き
35 … ピーマンのごまあえ
41 … ピザ風卵焼き(ピーマン)
60 … ピーマンのきんぴら
69 … ミートボールのピザ焼き(ピーマン)
71 … 酢豚風いため(ピーマン)
34 … ブロッコリーのハーブマヨ焼き
62 … ほうれんそうのナムル

ま

80 … 牛ごぼうの混ぜごはん(まいたけ)
43 … 桜えびとみつばのおにぎり
85 … みつばの卵焼き
21 … 塩焼きそば弁当(もやし)
62 … もやしのナムル

や

87 … さけの漬け焼き　ゆず風味

ら

63 … ひじきサラダ(ラディッシュ)
61 … キャベツのマリネ(りんご)
74 … さつまいもとりんごの甘煮
15 … サラダずし弁当(プリーツレタス)
39 … みそ焼きれんこん
58 … とり肉と根菜の煮もの(れんこん)
63 … れんこんの煮なます
87 … れんこんつくね

ごはん、パン、めん類

10 … 豚肉のソース焼き弁当
11 … 照り焼きチキン弁当
12 … ドライカレー弁当
13 … オムライス弁当
14 … さんま缶の卵とじ弁当
15 … サラダずし弁当

42 … 肉巻きおにぎり
42 … から揚げおにぎり
42 … スパムおにぎり
43 … ゆかりとチーズのおにぎり
43 … みそ味の焼きおにぎり
43 … かぶの葉とおかかのおにぎり
43 … 桜えびとみつばのおにぎり
49 … ひじきの卵巻きずし
54 … パセリごはん
80 … 牛ごぼうの混ぜごはん
81 … さけの洋風混ぜごはん
84 … 春キャベツと桜の混ぜずし
86 … さつまいもの雑穀おこわ
89 … ラップおにぎり
16 … フレンチトーストサンド
17 … 卵とコンビーフのホットサンド
18 … カレーツナサンド(ベーグル)
18 … ナッツ入りチーズサンド(ベーグル)
19 … ポケットサンド
49 … カレーサンド
20 … ナポリタン弁当
21 … 塩焼きそば弁当

卵

13 … オムライス弁当
14 … さんま缶の卵とじ弁当
16 … フレンチトーストサンド
17 … 卵とコンビーフのホットサンド
29 … ピカタ3種
40 … 卵焼き(プレーン)
40 … 甘めの卵焼き
40 … じゃことねぎの卵焼き
41 … ソーセージ巻き卵
41 … ピザ風卵焼き
41 … 半月卵焼き
41 … 卵の和風ココット
49 … ひじきの卵巻きずし
66 … 煮卵
68 … やわらかミートボール
77 … いり卵
77 … とりそぼろ入り卵焼き
85 … みつばの卵焼き
87 … しいたけ&れんこんつくね
15 … サラダずし弁当(うずら卵)
89 … ラップおにぎり オムライス味(うずら卵)

その他

78 … 油揚げそぼろ
15 … サラダずし弁当(黒オリーブ)
46 … 自家製インスタントみそ汁 (カットわかめ)
62 … ズッキーニのナムル(カットわかめ)
63 … 切り干しだいこんのサラダ(かに風味かまぼこ)
42 … から揚げおにぎり
49 … カレーサンド
41 … ソーセージ巻き卵(魚肉ソーセージ)
63 … 切り干しだいこんのサラダ
75 … きんとき豆の甘煮
75 … 豆とさつまいもの甘煮(市販きんとき豆の甘煮)
32 … ツナのピーマンカップ焼き(コーン缶詰)
35 … ピーマンのごまあえ
36 … にんじんのごまぽん酢あえ
39 … 焼き長いも(ごま)

42 … 肉巻きおにぎり(ごま)
48 … 刺し身のごま照り焼き
49 … ひじきの卵巻きずし(ごま)
59 … かじきのピリ辛漬け(ごま)
60 … ごぼうのきんぴら(ごま)
60 … さつまいものきんぴら(ごま)
62 … ナムル(すりごま)
63 … れんこんの煮なます(ごま)
78 … じゃこ高菜そぼろ(ごま)
79 … ピリ辛ひじきそぼろ(ごま)
80 … 牛ごぼうの混ぜごはん(ごま)
84 … 春キャベツと桜の混ぜずし(ごま)
85 … 菜の花のごまあえ
43 … 桜えびとみつばのおにぎり
34 … 青菜の塩こんぶあえ
18 … ナッツ入りチーズサンド(クリームチーズ)
37 … かぼちゃサラダ(クリームチーズ)
20 … ナポリタン弁当(粉チーズ)
29 … ピカタ(粉チーズ)
30 … 豚ヒレ肉のハーブパン粉焼き(粉チーズ)
34 … いためアスパラのチーズがけ(粉チーズ)
41 … ピザ風卵焼き(粉チーズ)
46 … さけのマヨネーズ焼き(粉チーズ)
16 … フレンチトーストサンド(スライスチーズ)
28 … しそチーズの肉巻き
31 … はんぺんチーズの磯辺焼き
43 … ゆかりとチーズのおにぎり
69 … ミートボールのピザ焼き(スライスチーズ)
89 … ラップおにぎり　青のりチーズ味
40 … じゃことねぎの卵焼き
78 … じゃこ高菜そぼろ
84 … 春キャベツと桜の混ぜずし(ちりめんじゃこ)
48 … のり焼きしゅうまい
78 … じゃこ高菜そぼろ
33 … ちくわの磯辺揚げ
18 … カレーツナサンド
32 … ツナのピーマンカップ焼き
32 … ツナのおやき
18 … ナッツ入りチーズサンド
11 … 照り焼きチキン弁当(焼きのり)
31 … 磯辺焼き(焼きのり)
33 … ソーセージロール(焼きのり)
42 … から揚げおにぎり(焼きのり)
42 … スパムおにぎり(焼きのり)
48 … のり焼きしゅうまい
85 … みつばの卵焼き(焼きのり)
31 … はんぺんチーズの磯辺焼き
61 … にんじんのマリネ(ピーナッツ)
63 … ひじきサラダ
79 … ピリ辛ひじきそぼろ
41 … 卵の和風ココット(ひじきの煮もの)
49 … ひじきの卵巻きずし(ひじきの煮もの)
33 … ちくわの磯辺揚げ(紅しょうが)
63 … れんこんの煮なます(干ししいたけ)
77 … (干し)しいたけの甘煮
13 … オムライス弁当(ミックスベジタブル)
32 … ツナのおやき(ミックスベジタブル)
74 … かぼちゃのいとこ煮(ゆであずき)
12 … ドライカレー弁当(レーズン)
74 … にんじんのミルク煮(レーズン)

95

ベターホームのお料理教室なら
"すぐに役立ち、一生使える"
料理の技術が身につきます

ベターホームのお料理教室は、全国18か所で開催する料理教室です。家庭料理の基本が学べる5コースのほか、レパートリーを広げたい方には、魚のさばき方が身につく「お魚基本技術の会」、「野菜料理の会」などがあります。手づくり派には「手作りパンの会」や「お菓子の会」も人気。男性だけのクラスもあります。

見学はいつでも大歓迎！
日程など、詳しくご案内いたしますので、全国の各事務局（下記）にお気軽にお問い合わせください。

資料請求のご案内
お料理教室の開講は年2回、5月と11月です。
パンフレットをお送りします。ホームページからも請求できます。

本 部 事 務 局　Tel.03-3407-0471	福岡事務局　Tel.092-714-2411
名古屋事務局　Tel.052-973-1391	大阪事務局　Tel.06-6376-2601
札 幌 事 務 局　Tel.011-222-3078	仙 台 教 室　Tel.022-224-2228

お弁当がすぐできる、便利なおかず

料理研究●ベターホーム協会／浜村ゆみ子　三笠かく子
撮影●大井一範
スタイリング●青野康子
デザイン●山岡千春
イラスト●浅生ハルミン
校正●ペーパーハウス

初版発行　2010年9月1日
6刷　　　2015年5月20日

編集・発行　ベターホーム協会

〒150-8363
東京都渋谷区渋谷1-15-12
〔編集〕Tel.03-3407-0471
〔出版営業〕Tel.03-3407-4871
http://www.betterhome.jp

ISBN978-4-86586-013-9
乱丁・落丁はお取替えします。本書の無断転載を禁じます。
©The Better Home Association,2010,Printed in Japan

便利シリーズ 1
作っておくと、
便利なおかず

便利シリーズ 2
材料使いきり、
便利なおかず

便利シリーズ 3
冷凍しておくと、
便利なおかず